RICHARD WAGNER

Siegfried

Zweiter Tag aus dem Bühnenfestspiel
»Der Ring des Nibelungen«

D0717013

VOLLSTÄNDIGES BUCH

WORTLAUT DER PARTITUR
EINGELEITET UND HERAUSGEGEBEN VON
WILHELM ZENTNER

PHILIPP RECLAM JUN. STUTTGART

Umschlagabbildung: Siegfried. Figurine von Carl Emil Doepler (1824–1905) für eine Inszenierung der Bayreuther Festspiele

Universal-Bibliothek Nr. 5643
Alle Rechte vorbehalten
© 1951 Philipp Reclam jun. GmbH & Co., Stuttgart
Gesamtherstellung: Reclam, Ditzingen. Printed in Germany 1992
RECLAM und UNIVERSAL-BIBLIOTHEK sind eingetragene
Warenzeichen der Philipp Reclam jun. GmbH & Co., Stuttgart
ISBN 3-15-005643-8

EINLEITUNG

Nachdem Richard Wagner seine durch die Vertonung der *Walküre* aufs äußerste angespannten Kräfte in Mornex, einem am Südhang des Petit Salève gelagerten Luftkurort in der Nähe Genfs, so weit gekräftigt hatte, daß er als »gesunder Monsieur« nach Zürich zurückkehren konnte, begann er am 22. September 1856 mit der Komposition des *Siegfried*. Er entschloß sich damit zur Fortsetzung des *Ring des Nibelungen*, obwohl im Laufe des Sommers andere Pläne seine Phantasie beschäftigt hatten. *Tristan und Isolde* gewann immer stärkere Macht über ihn; ein buddhistischer Stoff *Der Sieger* lockte ebenfalls. Liszts Besuch im Oktober des Jahres, der tiefe Eindruck, den *Die Walküre* auf diesen ausgeübt hatte, die Bereitschaft des Freundes, sich für eine festliche Aufführung der Ringtragödie in Weimar einzusetzen, und die Aussicht, in Breitkopf & Härtel einen Verleger für das Riesenwerk zu erhalten, gaben Wagner neue Antriebe. Aber das Schaffen war nicht immer leicht. Wagner vermißte ein Heim, in dessen Ruhe er sich ohne jede Störung der Arbeit hingeben konnte. Damit war es in der Zürcher Stadtwohnung schlecht bestellt. Über diese Schwierigkeiten berichtet die Autobiographie *Mein Leben*: »Da stellte sich denn eine der Hauptplagen meines Lebens zu entscheidender Bedrängnis ein: unserem Hause gegenüber hatte sich neuerdings ein Blechschmied einquartiert und betäubte meine Ohren den ganzen Tag über mit seinem weitschallenden Gehämmer. In meinem tiefen Kummer darüber, nie es zu einer unabhängigen, gegen jedes Geräusch geschützten Wohnung bringen zu können, wollte ich mich schon entschließen, alles Komponieren bis dahin aufzugeben, wo mir endlich dieser unerläßliche Wunsch erfüllt würde. Gerade mein Zorn über den Blechschmied gab mir jedoch in einem aufgeregten Augenblicke das Motiv zu Siegfrieds Wutausbruch gegen den Stümperschmied Mime ein: ich spielte sofort meiner Schwester das kindisch zankende Polterthema in g-moll vor und sang wütend die Worte dazu, worüber wir alle denn so lachen mußten, daß ich beschloß, diesmal noch fortzufahren.«

Die äußeren Arbeitsbedingungen besserten sich in dem

Augenblick, als Otto Wesendonk, auf Vorschlag seiner Gattin Mathilde, im Februar 1857 ein kleines Landhaus in der Nähe seiner soeben entstehenden Villa mit einem den See und die Alpenkette umspannenden Rundblick zur Verfügung stellte. In Wagner weckte dieses »Asyl auf dem grünen Hügel« ein tiefes Glücksgefühl. Er fühlte sich im eigenen Heim geborgen. »Alles Schwanken«, meinte er, »hat nun ein Ende: ich weiß, wo ich nun hingehöre, wo ich weben und schaffen, wo ich Trost und Stärkung, Erholung und Labung finden soll, und kann nun getrost allen Wechselfällen meiner künstlerischen Laufbahn, Anstrengungen und Mühen entgegensehen.« Im Frühjahr 1857 entstand hier der zweite Aufzug des *Siegfried*, jener Waldakt, aus dessen Musik besonders innige Vertrautheit mit der nunmehr unmittelbar erlebten, ihre sonnenhaften Seiten hervorkehrenden Natur spricht.

Trotzdem sollte *Siegfried* in dieser ihm so günstigen Umgebung nicht vollendet werden. Am 28. Juni 1857 kündet ein Brief an Franz Liszt die Unterbrechung der Arbeit: »Ich habe meinen jungen Siegfried noch in die schöne Waldeinsamkeit geleitet; dort hab ich ihn unter der Linde gelassen und mit herzlichen Tränen Abschied von ihm genommen: er ist dort besser dran als anderswo. – Soll ich dies Werk wieder einmal aufnehmen, so müßte mir dies entweder sehr leicht gemacht werden, oder ich selbst müßte es mir bis dahin möglich machen können, das Werk im vollsten Sinne des Wortes zu schenken. Es hat mich einen harten, bösen Kampf gekostet, ehe ich so weit kam!«

Was bewegte Wagner zu diesem Entschluß? Die Verhandlungen mit Breitkopf & Härtel, die sich anfangs so günstig angelassen hatten, waren an den sich immer mehr häufenden Bedenken des Verlages gescheitert. Die Aussicht, den *Ring des Nibelungen* in der geplanten festspielmäßigen Weise in Weimar zur Darstellung bringen zu können, verflüchtigte sich in dem Maße, wie das Interesse des Großherzogs Carl Alexander für die von Liszt vertretenen musikalischen Belange abnahm und sich die Neigung des Fürsten der Dichtung und den bildenden Künsten zuwendete. Unter diesen Umständen erschien dem Komponisten die weitere Arbeit am *Ring* als ein »aussichtsloses, obstinates Unternehmen«.

Dagegen gewann *Tristan und Isolde* zusehends festere, zwingendere Gestalt. Genährt von der schicksalhaften Begegnung mit Mathilde Wesendonk, traten die beiden großen Liebenden immer unwiderstehlicher auf Wagner zu. Bald befand er sich derart im Banne dieser Schöpfung, daß alles andere ihrer allbewegenden Macht weichen mußte.

Der Gedanke, eines Tages zum *Ring des Nibelungen* zurückzukehren, ist jedoch in Wagner stets lebendig geblieben. Nach der Vollendung von *Tristan und Isolde* ergriffen zwar zunächst die *Meistersinger von Nürnberg* von ihm Besitz. Noch hatte die Stunde der Fortsetzung nicht geschlagen. Seitdem aber König Ludwig II. von Bayern in Wagners Leben getreten war und diesem eine neue, zu den größten Hoffnungen berechtigende Wendung gegeben hatte, rückte auch der seit acht Jahren beiseite gelegte *Siegfried* wieder in den Vordergrund der Interessen. Zählte es doch zu den vordringlichsten Wünschen des fürstlichen Gönners, nicht nur den Nibelungenring abgeschlossen, sondern auch diesen selbst in der vom Dichterkomponisten ins Auge gefaßten festspielmäßigen Weise aufgeführt zu sehen. In München sollte zu diesem Zwecke nach Entwürfen Gottfried Sempers ein auf der rechten Isarrampe gelagertes Festspielhaus als Ziel einer großen Auffahrtsstraße, die über eine Brücke dahin führte, erbaut werden. Überdies schien in Ludwig Schnorr von Carolsfeld, dem Tristan der Münchener Uraufführung von 1865, der ideale Vertreter des Siegfried endlich gefunden, nach dem Wagner lange Zeit vergebliche Ausschau gehalten hatte. »Ein neuer Hoffnungsfrühling« erblühte damit in des Meisters Dasein. Aber Schnorr von Carolsfeld starb unerwartet als Opfer einer heimtückischen Krankheit mit den Worten »Leb wohl, Siegfried! Tröstet meinen Richard!«, und die Münchener Festspielpläne zerschlugen sich. Wagner sah sich genötigt, der Stätte schmerzlicher Erfahrungen, Enttäuschungen und Anfeindungen den Rücken zu kehren und abermals in der Schweiz, in Tribschen am Vierwaldstätter See, ein Asyl zu suchen. In dem hier gewonnenen Frieden wurde *Siegfried* zu Ende gebracht. Wenige Monate vor der Vollendung der Kompositionsskizze des dritten Aktes (21. August 1869) war Wagner am 6. Juni der heißersehnte Sohn geboren worden. Er empfing seinen

Namen von dem Werke, an welchem der Vater gerade arbeitete. Als Dankgabe an Frau Cosima entstand damals das _Siegfriedidyll_, eine Tondichtung, deren thematischer Bestand sich aus musikalischen Motiven des zweiten und dritten Siegfried-Aktes zusammensetzt. Am 5. Februar 1871 war auch die Partitur des Schlußaufzuges und damit der gesamte _Siegfried_ abgeschlossen. Was jetzt noch zu tun blieb, war die musikalische Ausführung der _Götterdämmerung_, mit der Wagner bereits begonnen hatte, ehe _Siegfried_ zu Ende gediehen war.

Fünf Jahre später erlebte _Siegfried_ im Rahmen der ersten Bayreuther Festspieldarstellung des _Rings des Nibelungen_ unter Hans Richters musikalischer und Richard Wagners szenischer Leitung am 16. August 1876 seine Uraufführung. Diese hinterließ, trotz eines der Größe seiner Aufgabe nicht ganz entsprechenden Hauptdarstellers, einen starken Eindruck, der sich bei den beiden Wiederholungen noch steigerte und vertiefte.

Zwischen den tragisch umwitterten Gipfeln der _Walküre_ und _Götterdämmerung_ mutet _Siegfried_ an wie »ein Sommersonnentag«. Der theaterkundige Bayreuther Meister wußte auch beim Aufbau des Gesamtwerks von der Unerläßlichkeit von Kontrastwirkungen, die zwischen das nächtliche Dunkel den Tag, zwischen Schatten das Licht fügen. Der Grundton der Heiterkeit beherrscht auf weite Strecken das Geschehen, sogar der zum Wanderer gewordene Wotan zeigt stellenweise einen Anflug von Humor. Ebenso wird dem idyllischen Moment mehr Raum gegönnt als in den übrigen Ringdramen; nirgends in der Tetralogie hat lyrischer Stimmungszauber größere Entfaltungsmöglichkeiten gefunden als im »Waldweben«, bei Siegfrieds Rast unter der Linde oder in der Szene von Brünnhildes Erweckung. Dieser heitere und lichte Charakter des _Siegfried_ schließt jedoch hochtragische Situationen keineswegs aus. So kommt in den Anfangsszenen des dritten Aufzuges die Wotantragödie zum eigentlichen Höhepunkt und Abschluß. Wagner selbst hat seinem Freunde Röckel die Idee derselben in einer nicht zu übertreffenden Eindeutigkeit mit den Worten dargelegt: »Wotan schwingt sich bis zur tragischen Höhe auf, seinen Untergang zu wollen. Dies ist alles, was wir aus der Geschichte der Menschheit zu lernen haben: das Notwendige zu wollen und selbst zu vollbringen. Das Schöpfungswerk dieses höchsten selbstvernichtenden Willens ist der endlich gewonnene, furchtlose, liebende Mensch: Siegfried.« Wagner hätte allerdings nicht Wagner sein müssen, wenn er nicht diese letzte Vollkommenheit in der Ergänzung des männlichen durch das weibliche Element gesucht und gefunden hätte; denn erst durch den Liebesbund mit der aus ihrem Schlummer geweckten Brünnhilde erklimmt Siegfried die letzte und höchste Stufe seiner Entwicklung. In diesem Sinne ist die Schlußszene in der Tat die leuchtende Krönung des Ganzen. Vielleicht hat sich die unfreiwillige Unterbrechung der Komposition gerade an dieser entscheidenden Stelle gelohnt, denn solche Töne ekstatischen Jubels und hymnischer Entrücktheit vermochte nur ein Meister zu finden, der zuvor das Stil- und Ausdruckswunder von *Tristan und Isolde* vollbracht hatte.

Wilhelm Zentner

Siegfried *(Tenor)*
Mime *(Tenor)*
Der Wanderer *(Baß)*
Alberich *(Baß)*
Fafner *(Baß)*
Erda *(Alt)*
Brünnhilde *(Sopran)*
Stimme des Waldvogels *(Sopran)*

SCHAUPLATZ DER HANDLUNG

Erster Aufzug: Eine Felsenhöhle im Walde.
Zweiter Aufzug: Tiefer Wald.
Dritter Aufzug: Wilde Gegend am Fußende eines Fel-
senberges, dann auf dem Gipfel des
»Brünnhildensteines«.

SZENENFOLGE

Erster Aufzug

Vorspiel

1. Szene. Mime. Siegfried.
2. Szene. Mime. Der Wanderer.
3. Szene. Mime. Siegfried.

Zweiter Aufzug

Vorspiel

1. Szene. Alberich. Der Wanderer. Fafner.
2. Szene. Siegfried. Mime. Waldvogel. Fafner.
3. Szene. Mime. Alberich. Siegfried. Waldvogel.

Dritter Aufzug

Vorspiel

1. Szene. Der Wanderer. Erda.
2. Szene. Der Wanderer. Siegfried.
3. Szene. Siegfried. Brünnhilde.

Die eingeklammerten Stellen [ ] sind nicht komponiert.

ORIGINAL-ORCHESTERBESETZUNG

Streichinstrumente:
16 Violinen I
16 Violinen II
12 Bratschen
12 Violoncelli
8 Kontrabässe

Saiteninstrumente:
6 Harfen

Holzblasinstrumente:
3 große Flöten
2 kleine Flöten
3 Oboen
1 Englisch Horn
3 Klarinetten
1 Baß-Klarinette
3 Fagotte
1 Kontra-Fagott

Blechinstrumente:
8 Hörner
3 Trompeten
1 Baß-Trompete
3 Posaunen
1 Kontra-Posaune
2 Tenor-Tuben
2 Baß-Tuben
1 Kontrabaß-Tuba

Schlaginstrumente:
2 Pauken
1 Glockenspiel
1 Triangel
1 Tamtam
1 Paar Becken

Alp, Albe *gespenstisches Wesen naturdämonischer Art*
beuterührig *gierig nach Beute*
Brünne *Brustharnisch*
erdünken *klar werden*
erlosen *gewinnen*
fahen *fangen, erfassen*
falb *fahl, farblos*
fegen (das Schwert) *reinigen, scheuern*
freislich *grimmig, schreckenerregend*
Fron *erzwungene Dienstleistung*
gangeln *watschelnd gehen*
Gauch *Tod, Narr*
geizen *verlangen, begehren*
Gestimm *Gesang*
grieseln *tröpfeln*
griesig *greisenhaft alt*
Haft *Band, Fessel, Macht*
Happ (auf einen Happ) *Bissen*
Harst *Kampf*
Heft *Griff*
heim *zu Hause*
Hella *Todesgöttin*
Huie (der) *Schnelle, Eilige*
küren *wählen*
lackern *hüpfen*

Lohe *Flamme*
lugen *sehen, schauen*
Lungerer *Aufpasser*
Nabelnest *Erdinneres*
neidlich *begehrenswert*
Neidtat *böse Tat*
Nicker *koboldartiges Wesen*
queck, *frisch, lebendig*
Raspel *Reibeisen, Feile*
schweigen *zum Schweigen bringen*
sehren *schmerzen, verletzen*
selbander *zu zweien*
Starenlied *immer gleiche, eintönige Weise*
Sud, Sudel *schlechtgemischter Trank*
tappern *herumhantieren*
vernagelt *ratlos*
wabern *flackern*
Wal *Kampfplatz*
wehen *eilen*
weihlich *heilig*
Welpe *Junges der Säugetiere*
Witz *Verstand*
zergreifen *zerstören*
zullen *saugen*
zwicken *blinzeln*

ORCHESTERVORSPIEL

(Mäßig bewegt, b-moll ³/₄)

ERSTER AUFZUG

Wald

Den Vordergrund bildet ein Teil einer Felsenhöhle, die sich links tiefer nach innen zieht, nach rechts aber gegen drei Viertel der Bühne einnimmt. Zwei natürlich gebildete Eingänge stehen dem Walde zu offen: der eine nach rechts, unmittelbar im Hintergrunde, der andere, breitere, ebenda seitwärts. An der Hinterwand, nach links zu, steht ein großer Schmiedeherd, aus Felsstücken natürlich geformt; künstlich ist nur der große Blasebalg: die rohe Esse geht – ebenfalls natürlich – durch das Felsendach hinauf. Ein sehr großer Amboß und andere Schmiedegerätschaften.

ERSTE SZENE

Mime. Siegfried.

M i m e *(sitzt, als der Vorhang nach einem kurzen Orchestervorspiel aufgegangen, am Ambosse und hämmert mit wachsender Unruhe an einem Schwerte, endlich hält er unmutig ein).*

> Zwangvolle Plage!
> Müh' ohne Zweck!
> Das beste Schwert,
> das je ich geschweißt,
> in der Riesen Fäusten
> hielte es fest:
> doch dem ich's geschmiedet,
> der schmähliche Knabe,
> er knickt und schmeißt es entzwei,
> als schüf' ich Kindergeschmeid'!

(Mime wirft das Schwert unmutig auf den Amboß, stemmt die Arme ein und blickt sinnend zu Boden.)

Es gibt ein Schwert,
das er nicht zerschwänge:
Notungs Trümmer
zertrotzt' er mir nicht,
könnt' ich die starken
Stücken schweißen,
die meine Kunst
nicht zu kitten weiß!
Könnt' ich's dem Kühnen schmieden,
meiner Schmach erlangt' ich da Lohn!

(Er sinkt tiefer zurück und neigt sinnend das Haupt.)

Fafner, der wilde Wurm,
lagert im finstren Wald;
mit des furchtbaren Leibes Wucht
der Niblungen Hort
hütet er dort.
Siegfrieds kindischer Kraft
erläge wohl Fafners Leib:
des Niblungen Ring
erränge er mir.
Nur ein Schwert taugt zu der Tat;
nur Notung nützt meinem Neid,
wenn Siegfried sehrend ihn schwingt:
und ich kann's nicht schweißen,
Notung, das Schwert!

(Er hat das Schwert wieder zurechtgelegt und häm-
mert in höchstem Unmut daran weiter.)

Zwangvolle Plage!
Müh' ohne Zweck!
Das beste Schwert,
das je ich geschweißt,
nie taugt es je
zu der einzigen Tat!
Ich tappre und hämmre nur,
weil der Knabe es heischt:
er knickt und schmeißt es entzwei
und schmäht doch, schmied ich ihm nicht!

(Er läßt den Hammer fallen.)

Siegfried *(in wilder Waldkleidung, mit einem sil-*
bernen Horn an einer Kette, kommt mit jähem Un-

gestüm aus dem Walde herein; er hat einen großen
Bären mit einem Bastseile gezäumt und treibt diesen
mit lustigem Übermute gegen Mime an).
                    Hoiho! Hoiho!
                    Hau ein! Hau ein!
                    Friß ihn! Friß ihn,
                    den Fratzenschmied! *(Er lacht.)*
                    Hahahaha!
(Mime entsinkt vor Schreck das Schwert; er flüchtet
hinter den Herd; Siegfried treibt ihm den Bären über-
all nach.)
M i m e. Fort mit dem Tier!
                    Was taugt mir der Bär?
S i e g f r i e d. Zu zwei komm ich,
                    dich besser zu zwicken:
                    Brauner, frag nach dem Schwert!
M i m e. He! Laß das Wild!
                    Dort liegt die Waffe:
                    fertig fegt' ich sie heut.
S i e g f r i e d. So fährst du heute noch heil!
(Er löst dem Bären den Zaum und gibt ihm damit
einen Schlag auf den Rücken.)
                    Lauf, Brauner,
                    dich brauch ich nicht mehr!
(Der Bär läuft in den Wald zurück.)
M i m e *(kommt zitternd hinter dem Herde hervor).*
                    Wohl leid ich's gern,
                    erlegst du Bären:
                    Was bringst du lebend
                    die Braunen heim?
S i e g f r i e d *(setzt sich, um sich vom Lachen zu erho-*
len). Nach beßrem Gesellen sucht' ich,
                    als daheim mir einer sitzt;
                    im tiefen Walde mein Horn
                    ließ ich hallend da ertönen:
                    ob sich froh mir gesellte
                    ein guter Freund,
                    das frug ich mit dem Getön!
                    Aus dem Busche kam ein Bär,
                    der hörte mir brummend zu;

er gefiel mir besser als du,
doch beßre fänd' ich wohl noch!
 Mit dem zähen Baste
zäumt' ich ihn da,
dich, Schelm, nach dem Schwerte zu fragen.
(Er springt auf und geht auf den Amboß zu.)
M i m e *(nimmt das Schwert, es Siegfried zu reichen).*
 Ich schuf die Waffe scharf,
ihrer Schneide wirst du dich freun.
*(Er hält das Schwert ängstlich in der Hand fest, das
Siegfried ihm heftig entwindet.)*
S i e g f r i e d. Was frommt seine helle Schneide,
ist der Stahl nicht hart und fest!
 (Das Schwert mit der Hand prüfend.)
 Hei! Was ist das
für müß'ger Tand!
Den schwachen Stift
nennst du ein Schwert?
*(Er zerschlägt es auf dem Amboß, daß die Stücken
ringsum fliegen; Mime weicht erschrocken aus.)*
 Da hast du die Stücken,
schändlicher Stümper:
hätt' ich am Schädel
dir sie zerschlagen!
Soll mich der Prahler
länger noch prellen?
Schwatzt mir von Riesen
und rüstigen Kämpfen,
von kühnen Taten
und tüchtiger Wehr;
will Waffen mir schmieden,
Schwerte schaffen;
rühmt seine Kunst,
als könnt' er was Rechts:
Nehm' ich zur Hand nun,
was er gehämmert,
mit einem Griff
zergreif ich den Quark!
Wär' mir nicht schier
zu schäbig der Wicht,

                    ich zerschmiedet' ihn selbst
                       mit seinem Geschmeid,
                    den alten albernen Alp!
                    Des Ärgers dann hätt' ich ein End'!
(Siegfried wirft sich wütend auf eine Steinbank zur
Seite rechts. Mime ist ihm immer vorsichtig ausgewi-
chen.)
M i m e. Nun tobst du wieder wie toll:
                    dein Undank, traun, ist arg!
                    Mach ich dem bösen Buben
                    nicht alles gleich zu best,
                    was ich ihm Gutes schuf,
                    vergißt er gar zu schnell!
                    Willst du denn nie gedenken,
                    was ich dich lehrt' vom Danke?
                    Dem sollst du willig gehorchen,
                    der je sich wohl dir erwies.
(Siegfried wendet sich unmutig um, mit dem Gesicht
nach der Wand, so daß er Mime den Rücken kehrt.)
                    Das willst du wieder nicht hören!
(Er steht verlegen; dann geht er in die Küche am
Herd.)
                    Doch speisen magst du wohl?
                    Vom Spieße bring ich den Braten:
                    versuchtest du gern den Sud?
                    Für dich sott ich ihn gar.
(Er bietet Siegfried Speise hin; dieser, ohne sich umzu-
wenden, schmeißt ihm Topf und Braten aus der Hand.)
S i e g f r i e d. Braten briet ich mir selbst:
                    deinen Sudel sauf allein!
M i m e *(mit kläglich kreischender Stimme).*
                        Das ist nun der Liebe
                        schlimmer Lohn!
                        Das der Sorgen
                        schmählicher Sold!
                        Als zullendes Kind
                        zog ich dich auf,
                        wärmte mit Kleiden
                        den kleinen Wurm:
                        Speise und Trank

trug ich dir zu,
hütete dich
wie die eigne Haut.
Und wie du erwuchsest,
wartet' ich dein;
dein Lager schuf ich,
daß leicht du schliefst.
Dir schmiedet' ich Tand
und ein tönend Horn;
dich zu erfreun,
müht' ich mich froh.
Mit klugem Rate
riet ich dir klug,
mit lichtem Wissen
lehrt' ich dich Witz.
Sitz' ich daheim
in Fleiß und Schweiß,
nach Herzenslust
schweifst du umher.
Für dich nur in Plage,
in Pein nur für dich
verzehr ich mich alter,
armer Zwerg! *(Schluchzend.)*
Und aller Lasten
ist das nun mein Lohn,
daß der hastige Knabe
mich quält *(schluchzend)* und haßt!

*(Siegfried hat sich wieder umgewendet und ruhig in
Mimes Blick geforscht. Mime begegnet Siegfrieds Blick
und sucht den seinigen scheu zu bergen.)*

S i e g f r i e d. Vieles lehrtest du, Mime,
und manches lernt' ich von dir;
doch was du am liebsten mich lehrtest,
zu lernen gelang mir nie:
wie ich dich leiden könnt'.
    Trägst du mir Trank
    und Speise herbei,
der Ekel speist mich allein;
    schaffst du ein leichtes
    Lager zum Schlaf,

> der Schlummer wird mir da schwer;
>> willst du mich weisen,
>> witzig zu sein,
> gern bleib ich taub und dumm.
>> Seh ich dir erst
>> mit den Augen zu,
>> zu übel erkenn ich,
>> was alles du tust:
>> Seh ich dich stehn,
>> gangeln und gehn,
>> knicken und nicken,
>> mit den Augen zwicken:
>> beim Genick möcht' ich
>> den Nicker packen,
>> den Garaus geben
>> dem garst'gen Zwicker!
> So lernt' ich, Mime, dich leiden.
>> Bist du nun weise,
>> so hilf mir wissen,
> worüber umsonst ich sann:
>> in den Wald lauf ich,
>> dich zu verlassen,
> wie kommt das, kehr ich zurück?
>> Alle Tiere sind
>> mir teurer als du:
>> Baum und Vogel,
>> die Fische im Bach,
>> lieber mag ich sie
>> leiden als dich:
> Wie kommt das nun, kehr ich zurück?
> Bist du klug, so tu mir's kund.

M i m e *(setzt sich in einiger Entfernung ihm traulich
  gegenüber).* Mein Kind, das lehrt dich kennen,
>> wie lieb ich am Herzen dir lieg.

S i e g f r i e d *(lachend).* Ich kann dich ja nicht leiden,
>> vergiß das nicht so leicht!

M i m e *(fährt zurück und setzt sich wieder abseits, Siegfried gegenüber).*
>> Des ist deine Wildheit schuld,
>> die du, Böser, bänd'gen sollst.

Jammernd verlangen Junge
nach ihrer Alten Nest;
Liebe ist das Verlangen:
So lechzest du auch nach mir,
so liebst du auch deinen Mime –
    so mußt du ihn lieben!
Was dem Vögelein ist der Vogel,
wenn er im Nest es nährt,
eh' das flügge mag fliegen:
das ist dir kind'schem Sproß
der kundig sorgende Mime –
    das muß er dir sein!

S i e g f r i e d. Ei, Mime, bist du so witzig,
so laß mich eines noch wissen!
    Es sangen die Vöglein
    so selig im Lenz,
das eine lockte das andre:
    Du sagtest selbst,
    da ich's wissen wollt',
das wären Männchen und Weibchen.
    Sie kosten so lieblich
    und ließen sich nicht;
    sie bauten ein Nest
    und brüteten drin:
    da flatterte junges Geflügel auf,
und beide pflegten der Brut.
    So ruhten im Busch
    auch Rehe gepaart,
selbst wilde Füchse und Wölfe:
    Nahrung brachte
    zum Nest das Männchen,
das Weibchen säugte die Welpen.
    Da lernt' ich wohl,
    was Liebe sei:
    der Mutter entwand ich
    die Welpen nie.
    Wo hast du nun, Mime,
    dein minniges Weibchen,
daß ich es Mutter nenne?

M i m e *(ärgerlich).* Was ist dir, Tor?

      Ach, bist du dumm!
      Bist doch weder Vogel noch Fuchs?

S i e g f r i e d. Das zullende Kind
      zogest du auf,
      wärmtest mit Kleiden
      den kleinen Wurm:
      Wie kam dir aber
      der kindische Wurm?
      Du machtest wohl gar
      ohne Mutter mich?

M i m e *(in großer Verlegenheit).* Glauben sollst du,
      was ich dir sage:
      ich bin dir Vater
      und Mutter zugleich.

S i e g f r i e d. Das lügst du, garstiger Gauch!
      Wie die Jungen den Alten gleichen,
      das hab ich mir glücklich ersehn.
      Nun kam ich zum klaren Bach:
      da erspäh' ich die Bäum'
      und Tier' im Spiegel;
      Sonn' und Wolken,
      wie sie nur sind,
      im Glitzer erschienen sie gleich.
      Da sah ich denn auch
      mein eigen Bild;
      ganz anders als du
      dünkt' ich mir da:
      So glich wohl der Kröte
      ein glänzender Fisch;
      doch kroch nie ein Fisch aus der Kröte!

M i m e *(höchst ärgerlich).* Greulichen Unsinn
      kramst du da aus!

S i e g f r i e d *(immer lebendiger).*
      Siehst du, nun fällt
      auch selbst mir ein,
      was zuvor umsonst ich besann:
      wenn zum Wald ich laufe,
      dich zu verlassen,
      wie das kommt, kehr ich doch heim?
      (Er springt auf.)

Von dir erst muß ich erfahren,
wer Vater und Mutter mir sei!

M i m e *(weicht ihm aus).* Was Vater! Was Mutter!
Müßige Frage!

S i e g f r i e d *(packt ihn bei der Kehle).*
So muß ich dich fassen,
um was zu wissen:
gutwillig
erfahr ich doch nichts!
So mußt' ich alles
ab dir trotzen:
kaum das Reden
hätt' ich erraten,
entwand ich's mit Gewalt
nicht dem Schuft!
Heraus damit,
räudiger Kerl!
Wer ist mir Vater und Mutter?

M i m e *(nachdem er mit dem Kopfe genickt und mit
den Händen gewinkt, ist von Siegfried losgelassen
worden).* Ans Leben gehst du mir schier!
Nun laß! Was zu wissen dich geizt,
erfahr es, ganz wie ich's weiß.
O undankbares,
arges Kind!
Jetzt hör, wofür du mich hassest!
Nicht bin ich Vater
noch Vetter dir,
und dennoch verdankst du mir dich!
Ganz fremd bist du mir,
dem einzigen Freund;
aus Erbarmen allein
barg ich dich hier:
nun hab ich lieblichen Lohn!
Was verhofft' ich Tor mir auch Dank?
Einst lag wimmernd ein Weib
da draußen im wilden Wald:
zur Höhle half ich ihr her,
am warmen Herd sie zu hüten.
Ein Kind trug sie im Schoße;

    traurig gebar sie's hier;
    sie wand sich hin und her,
    ich half, so gut ich konnt'.
    Groß war die Not! Sie starb,
    doch Siegfried, der genas.

S i e g f r i e d *(sinnend).* So starb meine Mutter an mir?

M i m e. Meinem Schutz übergab sie dich:
    ich schenkt' ihn gern dem Kind.
    Was hat sich Mime gemüht,
    was gab sich der Gute für Not!
    »Als zullendes Kind
    zog ich dich auf« ...

S i e g f r i e d. Mich dünkt, des gedachtest du schon!
    Jetzt sag: woher heiß ich Siegfried?

M i m e. So, hieß mich die Mutter,
    möcht' ich dich heißen:
    als »Siegfried« würdest
    du stark und schön.
    »Ich wärmte mit Kleiden
    den kleinen Wurm« ...

S i e g f r i e d. Nun melde, wie hieß meine Mutter?

M i m e. Das weiß ich wahrlich kaum!
    »Speise und Trank
    trug ich dir zu« ...

S i e g f r i e d. Den Namen sollst du mir nennen!

M i m e. Entfiel er mir wohl? Doch halt!
    Sieglinde mochte sie heißen,
    die dich in Sorge mir gab.
    »Ich hütete dich
    wie die eigne Haut« ...

S i e g f r i e d *(immer dringender).*
    Dann frag ich, wie hieß mein Vater?

M i m e *(barsch).* Den hab ich nie gesehn.

S i e g f r i e d. Doch die Mutter nannte den Namen?

M i m e. Erschlagen sei er,
    das sagte sie nur;
    dich Vaterlosen
    befahl sie mir da.
    »Und wie du erwuchsest,
    wartet' ich dein;

   dein Lager schuf ich,
   daß leicht du schliefst« ...
Siegfried. Still mit dem alten
   Starenlied!
   Soll ich der Kunde glauben,
   hast du mir nichts gelogen,
   so laß mich Zeichen sehn!
Mime. Was soll dir's noch bezeugen?
Siegfried. Dir glaub ich nicht mit dem Ohr,
   dir glaub ich nur mit dem Aug':
   Welch Zeichen zeugt für dich?
Mime *(holt nach einigem Besinnen die zwei Stücke
eines zerschlagenen Schwertes herbei).*
   Das gab mir deine Mutter:
   für Mühe, Kost und Pflege
   ließ sie's als schwachen Lohn.
   Sieh her, ein zerbrochnes Schwert!
   Dein Vater, sagte sie, führt' es,
   als im letzten Kampf er erlag.
Siegfried *(begeistert).*
   Und diese Stücken
   sollst du mir schmieden:
   dann schwing ich mein rechtes Schwert!
   Auf! Eile dich, Mime!
   Mühe dich rasch;
   kannst du was Rechts,
   nun zeig deine Kunst!
   Täusche mich nicht
   mit schlechtem Tand:
   den Trümmern allein
   trau ich was zu!
   Find ich dich faul,
   fügst du sie schlecht,
   flickst du mit Flausen
   den festen Stahl,
   dir Feigem fahr ich zu Leib,
   das Fegen lernst du von mir!
   Denn heute noch, schwör ich,
   will ich das Schwert;
   die Waffe gewinn ich noch heut!

Mime *(erschrocken).*
> Was willst du noch heut mit dem Schwert?

Siegfried. Aus dem Wald fort
> in die Welt ziehn:
nimmer kehr ich zurück!
> Wie ich froh bin,
> daß ich frei ward,
nichts mich bindet und zwingt!
Mein Vater bist du nicht;
in der Ferne bin ich heim;
dein Herd ist nicht mein Haus,
meine Decke nicht dein Dach.

> Wie der Fisch froh
> in der Flut schwimmt,
> wie der Fink frei
> sich davonschwingt:
> flieg ich von hier,
> flute davon,
> wie der Wind übern Wald
> weh ich dahin,
dich, Mime, nie wieder zu sehn!
> *(Er stürmt in den Wald fort.)*

Mime *(in höchster Angst).*
> Halte! Halte! Halte! Wohin?
(Er ruft mit der größten Anstrengung in den Wald.)
> He! Siegfried!
> Siegfried! He!
(Er sieht dem Fortstürmenden eine Weile staunend nach; dann kehrt er in die Schmiede zurück und setzt sich hinter den Amboß.)
> Da stürmt er hin!
> Nun sitz ich da:
> zur alten Not
> hab ich die neue;
vernagelt bin ich nun ganz!
> Wie helf ich mir jetzt?
> Wie halt ich ihn fest?
> Wie führ ich den Huien
> zu Fafners Nest?
> Wie füg ich die Stücken

des tückischen Stahls?
Keines Ofens Glut
glüht mir die echten:
keines Zwergen Hammer
zwingt mir die harten.
(Grell.) Des Niblungen Neid,
Not und Schweiß
nietet mir Notung nicht,
schweißt mir das Schwert nicht zu ganz!
*(Mime knickt verzweifelnd auf dem Schemel hinter
dem Amboß zusammen.)*

ZWEITE SZENE

*Der Wanderer (Wotan) tritt aus dem Wald an das hin-
tere Tor der Höhle heran. Er trägt einen dunkelblauen
langen Mantel, einen Speer als Stab. Auf dem Haupte
hat er einen großen Hut mit breiter runder Krempe,
die über das fehlende eine Auge tief hereinhängt.*

W a n d e r e r. Heil dir, weiser Schmied!
Dem wegmüden Gast
gönne hold
des Hauses Herd!
M i m e *(erschrocken auffahrend).*
Wer ist's, der im wilden
Walde mich sucht?
Wer verfolgt mich im öden Forst?
W a n d e r e r *(sehr langsam, immer nur einen Schritt
sich nähernd).* »Wandrer« heißt mich die Welt;
weit wandert' ich schon:
auf der Erde Rücken
rührt' ich mich viel.
M i m e. So rühre dich fort
und raste nicht hier,
nennt dich »Wandrer« die Welt!
W a n d e r e r. Gastlich ruht' ich bei Guten,
Gaben gönnten viele mir:
denn Unheil fürchtet,
wer unhold ist.

M i m e. Unheil wohnte
     immer bei mir:
  willst du dem Armen es mehren?
W a n d e r e r *(langsam immer näher schreitend).*
     Viel erforscht' ich,
     erkannte viel:
     Wicht'ges konnt' ich
     manchem künden,
     manchem wehren,
     was ihn mühte,
     nagende Herzensnot.
M i m e. Spürtest du klug
     und erspähtest du viel,
  hier brauch ich nicht Spürer noch Späher.
     Einsam will ich
     und einzeln sein,
     Lungerern lass' ich den Lauf.
W a n d e r e r *(tritt wieder etwas näher).*
     Mancher wähnte
     weise zu sein,
     nur was ihm not tat,
     wußte er nicht;
     was ihm frommte,
     ließ ich erfragen:
  lohnend lehrt' ihn mein Wort.
M i m e *(immer ängstlicher, da er den Wanderer sich
nahen sieht).* Müß'ges Wissen
     wahren manche:
  ich weiß mir grade genug.
  (Der Wanderer schreitet vollends bis an den Herd vor.)
     Mir genügt mein Witz,
     ich will nicht mehr:
  dir Weisem weis ich den Weg!
W a n d e r e r *(am Herd sich setzend).*
     Hier sitz ich am Herd
     und setze mein Haupt
     der Wissenswette zum Pfand:
     Mein Kopf ist dein,
     du hast ihn erkiest,
     entfrägst du mir nicht,

        was dir frommt,
        lös ich's mit Lehren nicht ein.
M i m e *(der zuletzt den Wanderer mit offenem Munde*
    angestaunt hat, schrickt jetzt zusammen; kleinmütig
    für sich). Wie werd' ich den Lauernden los?
        Verfänglich muß ich ihn fragen.
            (Er ermannt sich wie zur Strenge.)
        Dein Haupt pfänd ich
        für den Herd:
        nun sorg, es sinnig zu lösen!
            Drei der Fragen
            stell ich mir frei.
W a n d e r e r. Dreimal muß ich's treffen.
M i m e *(sammelt sich zum Nachdenken).*
            Du rührtest dich viel
            auf der Erde Rücken,
        die Welt durchwandertst du weit:
            Nun sage mir schlau:
            welches Geschlecht
        tagt in der Erde Tiefe?
W a n d e r e r. In der Erde Tiefe
        tagen die Nibelungen:
        Nibelheim ist ihr Land.
            Schwarzalben sind sie;
            Schwarz-Alberich
        hütet' als Herrscher sie einst!
            Eines Zauberringes
            zwingende Kraft
        zähmt' ihm das fleißige Volk.
            Reicher Schätze
            schimmernden Hort
        häuften sie ihm:
        der sollte die Welt ihm gewinnen.
        Zum zweiten was frägst du, Zwerg?
M i m e *(versinkt in immer tieferes Nachdenken).*
            Viel, Wanderer,
            weißt du mir
        aus der Erde Nabelnest:
            Nun sage mir schlicht,

welches Geschlecht
ruht auf der Erde Rücken?

W a n d e r e r. Auf der Erde Rücken
wuchtet der Riesen Geschlecht:
Riesenheim ist ihr Land.
Fasolt und Fafner,
der Rauhen Fürsten,
neideten Nibelungs Macht;
den gewaltigen Hort
gewannen sie sich,
errangen mit ihm den Ring.
Um den entbrannte
den Brüdern Streit;
der Fasolt fällte,
als wilder Wurm
hütet nun Fafner den Hort. —
Die dritte Frage nun droht.

M i m e *(der ganz in Träumerei entrückt ist).*
Viel, Wanderer,
weißt du mir
von der Erde rauhem Rücken.
Nun sage mir wahr,
welches Geschlecht
wohnt auf wolkigen Höhn?

W a n d e r e r. Auf wolkigen Höhn
wohnen die Götter:
Walhall heißt ihr Saal.
Lichtalben sind sie;
Licht-Alberich
Wotan, waltet der Schar.
Aus der Welt-Esche
weihlichstem Aste
schuf er sich einen Schaft:
dorrt der Stamm,
nie verdirbt doch der Speer;
mit seiner Spitze
sperrt Wotan die Welt.
Heil'ger Verträge
Treuerunen
schnitt in den Schaft er ein.

Den Haft der Welt
hält in der Hand,
wer den Speer führt,
den Wotans Faust umspannt.
Ihm neigte sich
der Niblungen Heer;
der Riesen Gezücht
zähmte sein Rat:
ewig gehorchen sie alle
des Speeres starkem Herrn.

(Er stößt wie unwillkürlich mit dem Speer auf den Boden; ein leiser Donner, worüber Mime heftig erschrickt.)

Nun rede, weiser Zwerg:
wußt' ich der Fragen Rat?
Behalte mein Haupt ich frei?

M i m e *(nachdem er den Wanderer mit dem Speer aufmerksam beobachtet hat, gerät nun in große Angst, sucht verwirrt nach seinen Gerätschaften und blickt scheu zur Seite).* Fragen und Haupt
hast du gelöst:
nun, Wandrer, geh deines Wegs!

W a n d e r e r. Was zu wissen dir frommt,
solltest du fragen:
Kunde verbürgte mein Kopf.
Daß du nun nicht weißt,
was dir frommt,
des faß ich jetzt deines als Pfand.
Gastlich nicht
galt mir dein Gruß,
mein Haupt gab ich
in deine Hand,
um mich des Herdes zu freun.
Nach Wettens Pflicht
pfänd ich nun dich,
lösest du drei
der Fragen nicht leicht.
Drum frische dir, Mime, den Mut!

M i m e *(sehr schüchtern und zögernd, endlich in furchtsamer Ergebung sich fassend).* Lang schon mied ich

mein Heimatland,
lang schon schied ich
aus der Mutter Schoß;
mir leuchtete Wotans Auge,
zur Höhle lugt' er herein:
    vor ihm magert
    mein Mutterwitz.
Doch frommt mir's nun, weise zu sein,
Wandrer, frage denn zu!
Vielleicht glückt mir's, gezwungen
zu lösen des Zwergen Haupt.

W a n d e r e r *(wieder gemächlich sich niederlassend).*
    Nun, ehrlicher Zwerg,
    sag mir zum ersten:
welches ist das Geschlecht,
dem Wotan schlimm sich zeigte
und das doch das liebste ihm lebt?

M i m e *(sich ermunternd).* Wenig hört' ich
    von Heldensippen;
der Frage doch mach ich mich frei.
    Die Wälsungen sind
    das Wunschgeschlecht,
    das Wotan zeugte
    und zärtlich liebte,
zeigt' er auch Ungunst ihm.
    Siegmund und Sieglind
    stammten von Wälse,
    ein wild-verzweifeltes
    Zwillingspaar:
Siegfried zeugten sie selbst,
den stärksten Wälsungensproß.
    Behalt ich, Wandrer,
    zum ersten mein Haupt?

W a n d e r e r *(gemütlich).* Wie doch genau
    das Geschlecht du mir nennst:
schlau eracht ich dich Argen!
    Der ersten Frage
    wardst du frei.
Zum zweiten nun sag mir, Zwerg:
    ein weiser Niblung

      wahret Siegfried;
Fafnern soll er ihm fällen,
daß den Ring er erränge,
des Hortes Herrscher zu sein.
      Welches Schwert
      muß Siegfried nun schwingen,
taug' es zu Fafners Tod?

Mime *(seine gegenwärtige Lage immer mehr verges-*
send und von dem Gegenstande lebhaft angezogen,
reibt sich vergnügt die Hände). Notung heißt
      ein neidliches Schwert;
      in einer Esche Stamm
      stieß es Wotan:
dem sollt' es geziemen,
der aus dem Stamm es zög'.
      Der stärksten Helden
      keiner bestand's:
      Siegmund, der Kühne,
      konnt's allein:
fechtend führt' er's im Streit,
bis an Wotans Speer es zersprang.
      Nun verwahrt die Stücken
      ein weiser Schmied;
      denn er weiß, daß allein
      mit dem Wotansschwert
ein kühnes dummes Kind,
Siegfried, den Wurm versehrt.
      (Ganz vergnügt.)
      Behalt ich Zwerg
      auch zweitens mein Haupt?

Wanderer *(lachend).* Der witzigste bist du
      unter den Weisen:
wer käm' dir an Klugheit gleich?
      Doch bist du so klug,
      den kindischen Helden
für Zwergenzwecke zu nützen,
      mit der dritten Frage
      droh ich nun!
      Sag mir, du weiser
      Waffenschmied:

　　　wer wird aus den starken Stücken
　　　Notung, das Schwert, wohl schweißen?

M i m e *(fährt in höchstem Schrecken auf).*
　　　　　Die Stücken! Das Schwert!
　　　　　O weh! Mir schwindelt!
　　　　　Was fang ich an?
　　　　　Was fällt mir ein?
　　　　　Verfluchter Stahl,
　　　　　daß ich dich gestohlen!
　　　　　Er hat mich vernagelt
　　　　　in Pein und Not!
　　　　　Mir bleibt er hart,
　　　　　ich kann ihn nicht hämmern;
　　　　　Niet' und Löte
　　　　　läßt mich im Stich!

*(Er wirft wie sinnlos sein Gerät durcheinander und
bricht in helle Verzweiflung aus.)*
　　　　　Der weiseste Schmied
　　　　　weiß sich nicht Rat!
　　　　　Wer schweißt nun das Schwert,
　　　　　schaff ich es nicht?
　　　　　Das Wunder, wie soll ich's wissen?

W a n d e r e r *(ist ruhig vom Herd aufgestanden).*
　　　　　Dreimal solltest du fragen,
　　　　　dreimal stand ich dir frei:
　　　　　　nach eitlen Fernen
　　　　　　forschtest du;
　　　　　doch was zunächst dir sich fand,
　　　　　was dir nützt, fiel dir nicht ein.
　　　　　　Nun ich's errate,
　　　　　　wirst du verrückt:
　　　　　　gewonnen hab ich
　　　　　　das witzige Haupt!
　　　　　Jetzt, Fafners kühner Bezwinger,
　　　　　hör, verfallner Zwerg:
　　　　　　»Nur wer das Fürchten
　　　　　　nie erfuhr,
　　　　　schmiedet Notung neu.«

*(Mime starrt ihn groß an: er wendet sich zum Fort-
gang.)*

   Dein weises Haupt
   wahre von heut:
  verfallen laß ich es dem,
  der das Fürchten nicht gelernt!
*(Er wendet sich lächelnd ab und verschwindet schnell
im Walde. Mime ist wie vernichtet auf den Schemel
hinter dem Amboß zurückgesunken.)*

DRITTE SZENE

M i m e *(starrt grad vor sich aus in den sonnig beleuch-
teten Wald hinein und gerät zunehmend in heftiges
Zittern).* Verfluchtes Licht!
   Was flammt dort die Luft?
   Was flackert und lackert,
   was flimmert und schwirrt,
   was schwebt dort und webt
   und wabert umher?
   Dort glimmert's und glitzt's
   in der Sonne Glut!
   Was säuselt und summt
   und saust nun gar?
   Es brummt und braust
   und prasselt hieher!
   Dort bricht's durch den Wald,
   will auf mich zu!
   (Er bäumt sich vor Entsetzen auf.)
   Ein gräßlicher Rachen
   reißt sich mir auf:
   der Wurm will mich fangen!
   Fafner! Fafner!
*(Er sinkt laut schreiend hinter dem Amboß zusam-
men.)*
S i e g f r i e d *(bricht aus dem Waldgesträuch hervor
und ruft noch hinter der Szene, während man seine
Bewegung an dem zerkrachenden Gezweige des Ge-
sträuches gewahrt).* Heda, du Fauler!
   Bist du nun fertig?
(Er tritt in die Höhle herein und hält verwundert an.)

      Schnell, wie steht's mit dem Schwert?
        Wo steckt der Schmied?
        Stahl er sich fort?
      Hehe, Mime, du Memme!
      Wo bist du? Wo birgst du dich?

M i m e *(mit schwacher Stimme hinter dem Amboß).*
        Bist du es, Kind?
        Kommst du allein?

S i e g f r i e d *(lachend).* Hinter dem Amboß?
        Sag, was schufest du dort?
        Schärftest du mir das Schwert?

M i m e *(höchst verstört und zerstreut hervorkommend).*
        Das Schwert? Das Schwert?
        Wie möcht' ich's schweißen? *(Halb für sich.)*
        »Nur wer das Fürchten
        nie erfuhr,
      schmiedet Notung neu.«
        Zu weise ward ich
        für solches Werk!

S i e g f r i e d *(heftig).* Wirst du mir reden?
        Soll ich dir raten?

M i m e *(wie zuvor).* Wo nähm' ich redlichen Rat?
        Mein weises Haupt
        hab ich verwettet: *(vor sich hin starrend)*
      verfallen, verlor ich's an den,
      »der das Fürchten nicht gelernt«.

S i e g f r i e d *(ungestüm).* Sind mir das Flausen?
        Willst du mir fliehn?

M i m e *(allmählich sich etwas fassend).*
        Wohl flöh' ich dem,
        der's Fürchten kennt!
      Doch das ließ ich dem Kinde zu lehren!
        Ich Dummer vergaß,
        was einzig gut:
        Liebe zu mir
        sollt' er lernen;
      das gelang nun leider faul!
      Wie bring ich das Fürchten ihm bei?

S i e g f r i e d *(packt ihn).* He! Muß ich helfen?
        Was fegtest du heut?

M i m e. Um dich nur besorgt,
        versank ich in Sinnen,
    wie ich dich Wichtiges wiese.

S i e g f r i e d *(lachend).* Bis unter den Sitz
        warst du versunken:
    Was Wichtiges fandest du da?

M i m e *(sich immer mehr fassend).*
    Das Fürchten lernt' ich für dich,
    daß ich's dich Dummen lehre.

S i e g f r i e d *(mit ruhiger Verwunderung).*
        Was ist's mit dem Fürchten?

M i m e. Erfuhrst du's noch nie
        und willst aus dem Wald
        doch fort in die Welt?
    Was frommte das festeste Schwert,
    blieb dir das Fürchten fern?

S i e g f r i e d *(ungeduldig).* Faulen Rat
        erfindest du wohl?

M i m e *(immer zutraulicher Siegfried näher tretend).*
        Deiner Mutter Rat
        redet aus mir;
        was ich gelobte,
        muß ich nun lösen:
        in die listige Welt
        dich nicht zu entlassen,
    eh' du nicht das Fürchten gelernt.

S i e g f r i e d *(heftig).* Ist's eine Kunst,
        was kenn ich sie nicht?
    Heraus! Was ist's mit dem Fürchten?

M i m e. Fühltest du nie
        im finstren Wald,
        bei Dämmerschein
        am dunklen Ort,
        wenn fern es säuselt,
        summst und saust,
        wildes Brummen
        näher braust,
        wirres Flackern
        um dich flimmert,
        schwellend Schwirren

       zu Leib dir schwebt:
fühltest du dann nicht grieselnd
Grausen die Glieder dir fahen?
       Glühender Schauer
       schüttelt die Glieder,
       [mir verschwimmen
       und schwinden die Sinne,]
in der Brust bebend und bang
berstet hämmernd das Herz?
Fühltest du das noch nicht,
das Fürchten blieb dir noch fremd.

S i e g f r i e d *(nachsinnend)*. Sonderlich seltsam
       muß das sein!
       Hart und fest,
fühl ich, steht mir das Herz.
       Das Grieseln und Grausen,
       das Glühen und Schauern,
       Hitzen und Schwindeln,
       Hämmern und Beben:
gern begehr ich das Bangen,
sehnend verlangt mich's der Lust!
       Doch wie bringst du,
       Mime, mir's bei?
Wie wärst du, Memme, mir Meister?

M i m e. Folge mir nur,
       ich führe dich wohl:
sinnend fand ich es aus.
Ich weiß einen schlimmen Wurm,
der würgt' und schlang schon viel:
Fafner lehrt dich das Fürchten,
       folgst du mir zu seinem Nest.

S i e g f r i e d. Wo liegt er im Nest?

M i m e. Neidhöhle
       wird es genannt:
im Ost, am Ende des Walds.

S i e g f r i e d. Dann wär's nicht weit von der Welt?

M i m e. Bei Neidhöhle liegt sie ganz nah.

S i e g f r i e d. Dahin denn sollst du mich führen:
       Lernt' ich das Fürchten,
       dann fort in die Welt!

Drum schnell! Schaffe das Schwert,
in der Welt will ich es schwingen.
M i m e. Das Schwert? O Not!
S i e g f r i e d. Rasch in die Schmiede!
Weis, was du schufst!
M i m e. Verfluchter Stahl!
Zu flicken versteh ich ihn nicht:
den zähen Zauber
bezwingt keines Zwergen Kraft.
Wer das Fürchten nicht kennt,
der fänd' wohl eher die Kunst.
S i e g f r i e d. Feine Finten
weiß mir der Faule;
daß er ein Stümper,
sollt' er gestehn:
nun lügt er sich listig heraus!
Her mit den Stücken,
fort mit dem Stümper!
(Auf den Herd zuschreitend.)
Des Vaters Stahl
fügt sich wohl mir:
ich selbst schweiße das Schwert!
(Er macht sich, Mimes Gerät durcheinander werfend,
mit Ungestüm an die Arbeit.)
M i m e. Hättest du fleißig
die Kunst gepflegt,
jetzt käm' dir's wahrlich zugut:
doch lässig warst du
stets in der Lehr';
was willst du Rechtes nun rüsten?
S i e g f r i e d.
Was der Meister nicht kann,
vermöcht' es der Knabe,
hätt' er ihm immer gehorcht?
(Er dreht ihm eine Nase.)
Jetzt mach dich fort,
misch dich nicht drein:
sonst fällst du mir mit ins Feuer!
(Er hat eine große Menge Kohlen auf dem Herd auf-
gehäuft und unterhält in einem fort die Glut, während

er die Schwertstücke in den Schraubstock einspannt
und sie zu Spänen zerfeilt.)

M i m e *(der sich etwas abseits niedergesetzt hat, sieht*
 Siegfried bei der Arbeit zu). Was machst du denn da?
   Nimm doch die Löte:
  den Brei braut' ich schon längst.

S i e g f r i e d. Fort mit dem Brei!
   Ich brauch' ihn nicht:
  mit Bappe back' ich kein Schwert!

M i m e. Du zerfeilst die Feile,
   zerreibst die Raspel:
  wie willst du den Stahl zerstampfen?

S i e g f r i e d. Zersponnen muß ich
   in Späne ihn sehn:
  was entzwei ist, zwing ich mir so.
  (Er feilt mit großem Eifer fort.)

M i m e *(für sich).* Hier hilft kein Kluger,
   das seh ich klar:
  hier hilft dem Dummen
  die Dummheit allein!
  Wie er sich rührt
  und mächtig regt!
  Ihm schwindet der Stahl,
  doch wird ihm nicht schwül!

(Siegfried hat das Herdfeuer zur hellsten Glut ange-
facht.)
   Nun ward ich so alt
   wie Höhl' und Wald
  und hab nicht so was gesehn!

(Während Siegfried mit ungestümem Eifer fortfährt,
die Schwertstücken zu zerfeilen, setzt sich Mime noch
mehr beiseite.)
   Mit dem Schwert gelingt's,
   das lern ich wohl:
  furchtlos fegt er's zu ganz.
  Der Wandrer wußt' es gut!
   Wie berg ich nun
  mein banges Haupt?
  Dem kühnen Knaben verfiel's,
  lehrt' ihn nicht Fafner die Furcht!

(Mit wachsender Unruhe aufspringend und sich beugend.)
> Doch weh mir Armen!
> Wie würgt' er den Wurm,
> erführ' er das Fürchten von ihm?
> Wie erräng' er mir den Ring?
> Verfluchte Klemme!
> Da klebt' ich fest,
> fänd' ich nicht klugen Rat,
> wie den Furchtlosen selbst ich bezwäng'.

S i e g f r i e d *(hat nun die Stücken zerfeilt und in einem Schmelztiegel gefangen, den er jetzt in die Herdglut stellt).* He, Mime! Geschwind!
> Wie heißt das Schwert,
> das ich in Späne zersponnen?

M i m e *(fährt zusammen und wendet sich zu Siegfried).*
> Notung nennt sich
> das neidliche Schwert:
> deine Mutter gab mir die Mär.

S i e g f r i e d *(nährt unter dem folgenden die Glut mit dem Blasebalg).* Notung! Notung!
> Neidliches Schwert!
> Was mußtest du zerspringen?
> Zu Spreu nun schuf ich
> die scharfe Pracht,
> im Tiegel brat ich die Späne.
> Hoho! Hoho!
> Hohei! Hohei! Hoho!
> Blase, Balg!
> Blase die Glut!
> Wild im Walde
> wuchs ein Baum,
> den hab ich im Forst gefällt:
> die braune Esche
> brannt' ich zur Kohl',
> auf dem Herd nun liegt sie gehäuft.
> Hoho! Hoho!
> Hohei! Hohei! Hoho!
> Blase, Balg!
> Blase die Glut!

     Des Baumes Kohle,
      wie brennt sie kühn;
   wie glüht sie hell und hehr!
     In springenden Funken
      sprühet sie auf:
     Hohei! Hoho! Hohei!
   zerschmilzt mir des Stahles Spreu.
     Hoho! Hoho!
     Hohei! Hohei! Hoho!
     Blase, Balg!
     Blase die Glut!

M i m e *(immer für sich, entfernt sitzend).*
     Er schmiedet das Schwert
      und Fafner fällt er:
   das seh ich nun deutlich voraus.
     Hort und Ring
      erringt er im Harst:
   wie erwerb ich mir den Gewinn?
     Mit Witz und List
      gewinn' ich beides
   und berge heil mein Haupt.

S i e g f r i e d *(nochmals am Blasebalg).*
     Hoho! Hoho!
     Hohei! Hohei! Hohei!

M i m e *(im Vordergrunde für sich).*
     Rang er sich müd mit dem Wurm,
   von der Müh' erlab' ihn ein Trunk:
     aus würz'gen Säften,
      die ich gesammelt,
   brau ich den Trank für ihn;
     wenig Tropfen nur
      braucht er zu trinken,
   sinnlos sinkt er in Schlaf.
     Mit der eignen Waffe,
      die er sich gewonnen,
   räum ich ihn leicht aus dem Weg,
   erlange mir Ring und Hort.
     (Er reibt sich vergnügt die Hände.)
     Hei! Weiser Wandrer!
     Dünkt' ich dich dumm?

Wie gefällt dir nun
mein feiner Witz?
Fand ich mir wohl
Rat und Ruh?

Siegfried. Notung! Notung!
Neidliches Schwert!
Nun schmolz deines Stahles Spreu!
Im eignen Schweiße
schwimmst du nun.

(Er gießt den glühenden Inhalt des Tiegels in eine Stangenform und hält diese in die Höhe.)

Bald schwing ich dich als mein Schwert!

(Er stößt die gefüllte Stangenform in den Wassereimer. Dampf und lautes Gezisch der Kühlung erfolgen.)

In das Wasser floß
ein Feuerfluß:
grimmiger Zorn
zisch' ihm da auf!
[Frierend zähmt' ihn der Frost.]
Wie sehrend er floß,
in des Wassers Flut
fließt er nicht mehr.
Starr ward er und steif,
herrisch der harte Stahl:
heißes Blut doch
fließt ihm bald!

(Er stößt den Stahl in die Herdglut und zieht die Blasebälge mächtig an.)

Nun schwitze noch einmal,
daß ich dich schweiße,
Notung, neidliches Schwert!

(Mime ist vergnügt aufgesprungen; er holt verschiedene Gefäße hervor, schüttet aus ihnen Gewürz und Kräuter in einen Kochtopf und sucht, diesen auf dem Herd anzubringen. Siegfried beobachtet während der Arbeit Mime, welcher vom andern Ende des Herdes her seinen Topf sorgsam an die Glut stellt.)

Was schafft der Tölpel
dort mit dem Topf?

Brenn ich hier Stahl,
braust du dort Sudel?

M i m e. Zuschanden kam ein Schmied;
den Lehrer sein Knabe lehrt:
Mit der Kunst nun ist's beim Alten aus,
als Koch dient er dem Kind.
Brennt es das Eisen zu Brei,
aus Eiern braut
der Alte ihm Sud. *(Er fährt fort zu kochen.)*

S i e g f r i e d. Mime, der Künstler,
lernt jetzt kochen;
das Schmieden schmeckt ihm nicht mehr.
Seine Schwerter alle
hab ich zerschmissen;
was er kocht, ich kost es ihm nicht!

*(Unter dem folgenden zieht Siegfried die Stangen-
form aus der Glut, zerschlägt sie und legt den glühenden Stahl auf dem Amboß zurecht.)*

Das Fürchten zu lernen,
will er mich führen;
ein Ferner soll es mich lehren:
was am besten er kann,
mir bringt er's nicht bei:
als Stümper besteht er in allem!

(Während des Schmiedens.)

Hoho! Hoho! Hohei!
Schmiede, mein Hammer,
ein hartes Schwert!
Hoho! Hahei!
Hoho! Hahei!
Einst färbte Blut
dein falbes Blau;
sein rotes Rieseln
rötete dich:
kalt lachtest du da,
das warme lecktest du kühl!
Heiaho! Haha!
Haheiaha!
Nun hat die Glut
dich rot geglüht;

     deine weiche Härte
     dem Hammer weicht:
   zornig sprühst du mir Funken,
     daß ich dich Spröden gezähmt!
     Heiaho! Heiaho!
     Heiahohoho!
     Hahei!

M i m e *(beiseite).* Er schafft sich ein scharfes Schwert,
     Fafner zu fällen,
     der Zwerge Feind:
   ich braut' ein Truggetränk,
     Siegfried zu fangen,
     dem Fafner fiel.
   Gelingen muß mir die List;
   lachen muß mir der Lohn!
*(Er beschäftigt sich während des folgenden damit, den
Inhalt des Topfes in eine Flasche zu gießen).*

S i e g f r i e d. Hoho! hoho!
     Hahei!
     Schmiede, mein Hammer,
     ein hartes Schwert!
     Hoho! Hahei!
     Hahei! Hoho!
   Der frohen Funken
     wie freu ich mich;
     es ziert den Kühnen
     des Zornes Kraft:
   Lustig lachst du mich an,
   stellst du auch grimm dich und gram!
     Heiaho, haha,
     haheiaha!
     Durch Glut und Hammer
     glückt' es mir;
     mit starken Schlägen
     streck' ich dich:
   Nun schwinde die rote Scham;
   werde kalt und hart, wie du kannst.
     Heiaho! Heiaho!
     Heiahohoho!
     Heiah!

*(Er schwingt den Stahl und stößt ihn in den Wasser-
eimer. Er lacht bei dem Gezisch laut auf. Während
Siegfried die geschmiedete Schwertklinge in dem
Griffhefte befestigt, treibt sich Mime mit der Flasche
im Vordergrunde umher.)*

M i m e. Den der Bruder schuf,
      den schimmernden Reif,
      in den er gezaubert
      zwingende Kraft,
      das helle Gold,
      das zum Herrscher macht,
      ihn hab ich gewonnen!
      Ich walte sein!

*(Er trippelt, während Siegfried mit dem kleinen Ham-
mer arbeitet und schleift und feilt, mit zunehmender
Vergnügtheit lebhaft umher.)*

      Alberich selbst,
      der einst mich band,
      zur Zwergenfrone
      zwing ich ihn nun;
      als Niblungenfürst
      fahr ich danieder;
      gehorchen soll mir
      alles Heer!
      Der verachtete Zwerg,
      wie wird er geehrt!
      Zu dem Horte hin drängt sich
      Gott und Held:
      (Mit immer lebhafteren Gebärden.)
      Vor meinem Nicken
      neigt sich die Welt,
      vor meinem Zorne
      zittert sie hin!
      Dann wahrlich müht sich
      Mime nicht mehr:
      ihm schaffen andre
      den ew'gen Schatz.
      Mime, der kühne,
      Mime ist König,
      Fürst der Alben,

> Walter des Alls!
> Hei, Mime! Wie glückte dir das!
> Wer hätte wohl das gedacht?

Siegfried *(hat während Mimes Lied mit den letz-*
ten Schlägen die Nieten des Griffheftes geglättet und
faßt nun das Schwert). Notung! Notung!

> Neidliches Schwert!
> Jetzt haftest du wieder im Heft.
> Warst du entzwei,
> ich zwang dich zu ganz;
> kein Schlag soll nun dich mehr zerschlagen.
> Dem sterbenden Vater
> zersprang der Stahl,
> der lebende Sohn
> schuf ihn neu:
> nun lacht ihm sein heller Schein,
> seine Schärfe schneidet ihm hart.
> *(Das Schwert vor sich schwingend.)*
> Notung! Notung!
> Neidliches Schwert!
> Zum Leben weckt' ich dich wieder.
> Tot lagst du
> in Trümmern dort,
> jetzt leuchtest du trotzig und hehr.
> Zeige den Schächern
> nun deinen Schein!
> Schlage den Falschen,
> fälle den Schelm!

Schau, Mime, du Schmied:
(Er holt mit dem Schwert aus.)
So schneidet Siegfrieds Schwert!

(Er schlägt auf den Amboß, welcher in zwei Stücke
auseinanderfällt. Mime, der in höchster Verzückung
sich auf einen Schemel geschwungen hatte, fällt vor
Schreck sitzlings zu Boden. Siegfried hält jauchzend
das Schwert in die Höhe. – Der Vorhang fällt.)

ORCHESTERVORSPIEL

(Träg und schleppend – f-moll ³/₄)

ZWEITER AUFZUG

Tiefer Wald

Ganz im Hintergrunde die Öffnung einer Höhle. Der Boden hebt sich bis zur Mitte der Bühne, wo er eine kleine Hochebene bildet; von da senkt er sich nach hinten, der Höhle zu, wieder abwärts, so daß von dieser nur der obere Teil der Öffnung dem Zuschauer sichtbar ist. Links gewahrt man durch Waldbäume eine zerklüftete Felswand. Finstere Nacht, am dichtesten über dem Hintergrunde, wo anfänglich der Blick des Zuschauers gar nichts zu unterscheiden vermag.

ERSTE SZENE

Alberich *(an der Felswand gelagert, düster brütend).*
    In Wald und Nacht
vor Neidhöhl' halt ich Wacht:
    es lauscht mein Ohr,
mühvoll lugt mein Aug'.
    Banger Tag,
    bebst du schon auf?
    Dämmerst du dort
    durch das Dunkel her?
(Aus dem Walde von rechts her erhebt sich ein Sturmwind; ein bläulicher Glanz leuchtet von ebendaher.)
    Welcher Glanz zittert dort auf?
    Näher schimmert
    ein heller Schein;
es rennt wie ein leuchtendes Roß,
    bricht durch den Wald
    brausend daher.

      Naht schon des Wurmes Würger?
      Ist's schon, der Fafner fällt?
*(Der Sturmwind legt sich wieder; der Glanz ver-
lischt.)*
      Das Licht erlischt,
  der Glanz barg sich dem Blick:
      Nacht ist's wieder.
*(Der Wanderer tritt aus dem Wald und hält Alberich
gegenüber an.)*
      Wer naht dort schimmernd im Schatten?

Der Wanderer. Zur Neidhöhle
      fuhr ich bei Nacht:
      wen gewahr ich im Dunkel dort?
*(Wie aus einem plötzlich zerreißenden Gewölk bricht
Mondschein und beleuchtet des Wanderers Gestalt.)*

Alberich *(erkennt den Wanderer, fährt erschrocken
zurück, bricht aber sogleich in höchste Wut aus).*
      Du selbst läßt dich hier sehn?
      Was willst du hier?
      Fort, aus dem Weg!
      Von dannen, schamloser Dieb!

Wanderer *(ruhig).* Schwarz-Alberich,
      schweifst du hier?
      Hütest du Fafners Haus?

Alberich. Jagst du auf neue
      Neidtat umher?
      Weile nicht hier,
      weiche von hinnen!
      Genug des Truges
  tränkte die Stätte mit Not.
      Drum, du Frecher,
      laß sie jetzt frei!

Wanderer. Zu schauen kam ich,
      nicht zu schaffen:
      Wer wehrte mir Wandrers Fahrt?

Alberich *(lacht tückisch auf).*
      Du Rat wütender Ränke!
      Wär' ich dir zulieb
      doch noch dumm wie damals,
  als du mich Blöden bandest,

wie leicht geriet' es,
den Ring mir nochmals zu rauben!
Hab acht! Deine Kunst
kenne ich wohl;
doch wo du schwach bist,
blieb mir auch nicht verschwiegen.
Mit meinen Schätzen
zahltest du Schulden;
mein Ring lohnte
der Riesen Müh',
die deine Burg dir gebaut.
Was mit den trotzigen
einst du vertragen,
des Runen wahrt noch heut
deines Speeres herrischer Schaft.
Nicht du darfst,
was als Zoll du gezahlt,
den Riesen wieder entreißen:
du selbst zerspelltest
deines Speeres Schaft;
in deiner Hand
der herrische Stab,
der starke, zerstiebte wie Spreu!

Wanderer. Durch Vertrages Treuerunen
band er dich
Bösen mir nicht:
dich beugt' er mir durch seine Kraft;
zum Krieg drum wahr ich ihn wohl.

Alberich. Wie stolz du dräust
in trotziger Stärke,
und wie dir's im Busen doch bangt!
Verfallen dem Tod
durch meinen Fluch
ist des Hortes Hüter:
Wer wird ihn beerben?
Wird der neidliche Hort
dem Niblungen wieder gehören?
Das sehrt dich mit ew'ger Sorge!
Denn faß ich ihn wieder
einst in der Faust,

anders als dumme Riesen
üb ich des Ringes Kraft:
  dann zittre der Helden
  ewiger Hüter!
  Walhalls Höhen
stürm ich mit Hellas Heer:
der Welt walte dann ich!

W a n d e r e r *(ruhig).* Deinen Sinn kenn' ich wohl;
    doch sorgt er mich nicht.
    Des Ringes waltet,
    wer ihn gewinnt.

A l b e r i c h. Wie dunkel sprichst du,
    was ich deutlich doch weiß!
    An Heldensöhne
    hält sich dein Trotz, *(höhnisch)*
  die traut deinem Blute entblüht.
  Pflegtest du wohl eines Knaben,
  der klug die Frucht dir pflücke, *(immer heftiger)*
  die du nicht brechen darfst?

W a n d e r e r. Mit mir nicht,
    hadre mit Mime:
  dein Bruder bringt dir Gefahr;
  einen Knaben führt er daher,
  der Fafner ihm fällen soll.
  Nichts weiß der von mir;
  der Niblung nützt ihn für sich.
  Drum sag ich dir, Gesell,
  tue frei, wie dir's frommt!

(Alberich macht eine Gebärde heftiger Neugierde.)

    Höre mich wohl,
    sei auf der Hut!
  Nicht kennt der Knabe den Ring;
  doch Mime kundet ihn aus.

A l b e r i c h *(heftig).*
  Deine Hand hieltest du vom Hort?

W a n d e r e r. Wen ich liebe,
  laß ich für sich gewähren;
    er steh' oder fall',
    sein Herr ist er:
  Helden nur können mir frommen.

A l b e r i c h. Mit Mime räng' ich
        allein um den Ring?
W a n d e r e r. Außer dir begehrt er
        einzig das Gold.
A l b e r i c h. Und dennoch gewänn' ich ihn nicht?
W a n d e r e r *(ruhig nähertretend).* Ein Helde naht,
        den Hort zu befrein;
      zwei Niblungen geizen das Gold;
        Fafner fällt,
        der den Ring bewacht:
      wer ihn rafft, hat ihn gewonnen.
        Willst du noch mehr?
        Dort liegt der Wurm.
        (Er wendet sich nach der Höhle.)
        Warnst du ihn vor dem Tod,
        willig wohl ließ' er den Tand.
        Ich selber weck ihn dir auf.
*(Er stellt sich auf die Anhöhe vor der Höhle und ruft
hinein.)*
        Fafner! Fafner!
        Erwache, Wurm!
A l b e r i c h *(in gespanntem Erstaunen, für sich).*
        Was beginnt der Wilde?
        Gönnt er mir's wirklich?
*(Aus der finstern Tiefe des Hintergrundes hört man
Fafners Stimme durch ein starkes Sprachrohr.)*
F a f n e r. Wer stört mir den Schlaf?
W a n d e r e r *(der Höhle zugewandt).*
        Gekommen ist einer,
        Not dir zu künden:
      er lohnt dir's mit dem Leben,
      lohnst du das Leben ihm
      mit dem Horte, den du hütest?
(Er beugt sein Ohr lauschend der Höhle zu.)
F a f n e r. Was will er?
A l b e r i c h *(ist zum Wanderer getreten und ruft in
die Höhle).* Wache, Fafner!
        Wache, du Wurm!
        Ein starker Helde naht,
        dich heil'gen will er bestehn.

F a f n e r. Mich hungert sein.

W a n d e r e r. Kühn ist des Kindes Kraft,
    scharf schneidet sein Schwert.

A l b e r i c h. Den goldnen Reif
    geizt er allein:
    Laß mir den Ring zum Lohn,
    so wend ich den Streit;
    du wahrest den Hort
    und ruhig lebst du lang!

F a f n e r. Ich lieg und besitz – (gähnend)
    laßt mich schlafen!

W a n d e r e r (lacht auf und wendet sich wieder zu
    Alberich). Nun, Alberich, das schlug fehl.
    Doch schilt mich nicht mehr Schelm!
    Dies eine, rat ich,
    achte noch wohl!
    (Vertraulich zu ihm tretend.)
    Alles ist nach seiner Art,
    an ihr wirst du nichts ändern.
    Ich laß dir die Stätte,
    stelle dich fest!
    Versuch's mit Mime, dem Bruder,
    der Art ja versiehst du dich besser.
    (Zum Abgange gewendet.)
    Was anders ist,
    das lerne nun auch!
(Er verschwindet im Walde. Sturmwind erhebt sich,
heller Glanz bricht aus; dann vergeht beides schnell.)

A l b e r i c h (blickt dem davonjagenden Wanderer nach).
    Da reitet er hin
    auf lichtem Roß;
    mich läßt er in Sorg' und Spott.
    Doch lacht nur zu,
    ihr leichtsinniges,
    lustgieriges
    Göttergelichter!
    Euch seh ich
    noch alle vergehn!
    Solang das Gold
    am Lichte glänzt,

hält ein Wissender Wacht.
Trügen wird euch sein Trotz!
(Er schlüpft zur Seite in das Geklüft. Die Bühne bleibt leer. Morgendämmerung.)

ZWEITE SZENE

Bei anbrechendem Tage treten Mime und Siegfried auf. Siegfried trägt das Schwert in einem Gehenke von Bastseil. Mime erspäht genau die Stätte; er forscht endlich dem Hintergrunde zu, welcher – während die Anhöhe im mittleren Vordergrunde später immer heller von der Sonne beleuchtet wird – in finsterem Schatten bleibt; dann bedeutet er Siegfried.

M i m e. Wir sind zur Stelle!
      Bleib hier stehn!
S i e g f r i e d *(setzt sich unter einer großen Linde nieder und schaut sich um).* Hier soll ich das Fürchten lernen?
      Fern hast du mich geleitet:
      eine volle Nacht im Walde
      selbander wanderten wir.
        Nun sollst du, Mime,
        mich meiden!
        Lern ich hier nicht,
        was ich lernen muß,
      allein zieh ich dann weiter:
      dich endlich werd ich da los!
M i m e *(setzt sich ihm gegenüber, so daß er die Höhle immer noch im Auge behält).* Glaube, Liebster,
        lernst du heut und hier
      das Fürchten nicht,
        an andrem Ort,
        zu andrer Zeit
      schwerlich erfährst du's je.
        Siehst du dort
      den dunklen Höhlenschlund?
        Darin wohnt
      ein greulich wilder Wurm:
        unmaßen grimmig

      ist er und groß;
      ein schrecklicher Rachen
      reißt sich ihm auf;
      mit Haut und Haar
      auf einen Happ
   verschlingt der Schlimme dich wohl.

S i e g f r i e d. Gut ist's, den Schlund ihm zu schließen;
   drum biet ich mich nicht dem Gebiß.

M i m e. Giftig gießt sich
      ein Geifer ihm aus:
      wen mit des Speichels
      Schweiß er bespeit,
   dem schwinden wohl Fleisch und Gebein.

S i e g f r i e d. Daß des Geifers Gift mich nicht sehre,
   weich ich zur Seite dem Wurm.

M i m e. Ein Schlangenschweif
      schlägt sich ihm auf:
      wen er damit umschlingt
      und fest umschließt,
   dem brechen die Glieder wie Glas!

S i e g f r i e d.
      Vor des Schweifes Schwang mich zu wahren,
      halt' ich den Argen im Aug'.
      Doch heiße mich das:
      hat der Wurm ein Herz?

M i m e. Ein grimmiges, hartes Herz!

S i e g f r i e d. Das sitzt ihm doch,
      wo es jedem schlägt,
      trag' es Mann oder Tier?

M i m e. Gewiß, Knabe,
      da führt's auch der Wurm.
   Jetzt kommt dir das Fürchten wohl an?

S i e g f r i e d *(bisher nachlässig ausgestreckt, erhebt sich rasch zum Sitz).* Notung stoß ich
      dem Stolzen ins Herz!
   Soll das etwa Fürchten heißen?
      He, du Alter!
      Ist das alles,
      was deine List
      mich lehren kann?

      Fahr deines Weges dann weiter;
      das Fürchten lern ich hier nicht.

M i m e. Wart es nur ab!
      Was ich dir sage,
    dünke dich tauber Schall:
        ihn selber mußt du
        hören und sehn,
    die Sinne vergehn dir dann schon!
      Wenn dein Blick verschwimmt,
      der Boden dir schwankt,
      im Busen bang
      dein Herz erbebt: *(sehr freundlich)*
    dann dankst du mir, der dich führte,
    gedenkst, wie Mime dich liebt.

S i e g f r i e d. Du sollst mich nicht lieben!
      Sagt' ich dir's nicht?
      Fort aus den Augen mir!
      Laß mich allein:
    sonst halt ich's hier länger nicht aus,
    fängst du von Liebe gar an!
      Das eklige Nicken
      und Augenzwicken,
      wann endlich soll ich's
      nicht mehr sehn,
    wann werd ich den Albernen los?

M i m e. Ich laß dich schon.
      Am Quell dort lagr' ich mich;
    steh du nur hier;
    steigt dann die Sonne zur Höh',
      merk auf den Wurm:
    aus der Höhle wälzt er sich her,
      hier vorbei
      biegt er dann,
    am Brunnen sich zu tränken.

S i e g f r i e d *(lachend)*. Mime, weilst du am Quell,
    dahin laß ich den Wurm wohl gehn:
      Notung stoß ich
      ihm erst in die Nieren,
      wenn er dich selbst dort
      mit weggesoffen.

   Darum, hör meinen Rat,
   raste nicht dort am Quell;
    kehre dich weg,
    so weit du kannst,
   und komm nie mehr zu mir!
M i m e. Nach freislichem Streit
    dich zu erfrischen,
   wirst du mir wohl nicht wehren?
   (Siegfried wehrt ihn hastig ab.)
    Rufe mich auch,
    darbst du des Rates –
  (Siegfried wiederholt die Gebärde mit Ungestüm.)
   oder wenn dir das Fürchten gefällt.
 *(Siegfried erhebt sich und treibt Mime mit wütender
 Gebärde zum Fortgehen.)*
M i m e *(im Abgehen für sich).* Fafner und Siegfried,
   Siegfried und Fafner –
   Oh, brächten beide sich um!
   (Er verschwindet rechts im Walde.)
S i e g f r i e d *(streckt sich behaglich unter der Linde aus
 und blickt dem davongehenden Mime nach).*
   Daß der mein Vater nicht ist,
   wie fühl ich mich drob so froh!
    Nun erst gefällt mir
    der frische Wald;
    nun erst lacht mir
    der lustige Tag,
   da der Garstige von mir schied
   und ich gar nicht ihn wiederseh!
   (Er verfällt in schweigendes Sinnen.)
    Wie sah mein Vater wohl aus?
    Ha, gewiß, wie ich selbst!
   Denn wär' wo von Mime ein Sohn,
    müßt' er nicht ganz
    Mime gleichen?
    Grade so garstig,
    griesig und grau,
    klein und krumm,
    höckrig und hinkend,
    mit hängenden Ohren,

　　triefigen Augen –
　　Fort mit dem Alp!
　Ich mag ihn nicht mehr sehn.
(Er lehnt sich tiefer zurück und blickt durch den Baum-
wipfel auf. Tiefe Stille. Waldweben.)
　　Aber – wie sah
　meine Mutter wohl aus?
　Das kann ich
　　nun gar nicht mir denken!
Der Rehhindin gleich
　　glänzten gewiß
ihr hellschimmernde Augen,
　　nur noch viel schöner!
Da bang sie mich geboren,
　warum aber starb sie da?
Sterben die Menschenmütter
　　an ihren Söhnen
　　alle dahin?
　Traurig wäre das, traun!
　Ach, möcht' ich Sohn
　meine Mutter sehen!
　Meine Mutter –
　ein Menschenweib!
(Er seufzt leise und streckt sich tiefer zurück. Große
Stille. Wachsendes Waldweben. Siegfrieds Aufmerk-
samkeit wird endlich durch den Gesang der Wald-
vögel gefesselt. Er lauscht mit wachsender Teilnahme
einem Waldvogel in den Zweigen über ihm.)
　　Du holdes Vöglein!
　Dich hört' ich noch nie:
bist du im Wald hier daheim?
Verstünd' ich sein süßes Stammeln,
　gewiß sagt' es mir was
vielleicht von der lieben Mutter?
　Ein zankender Zwerg
　　hat mir erzählt,
　der Vöglein Stammeln
　　gut zu verstehn,
dazu könnte man kommen.
Wie das wohl möglich wär'?

*(Er sinnt nach. Sein Blick fällt auf ein Rohrgebüsch
unweit der Linde.)*

        Hei, ich versuch's,
          sing ihm nach:
    auf dem Rohr tön ich ihm ähnlich!
        Entrat ich der Worte,
          achte der Weise,
    sing ich so seine Sprache,
    versteh ich wohl auch, was er spricht.

*(Er eilt an den nahen Quell, schneidet mit dem
Schwerte ein Rohr ab und schnitzt sich hastig eine
Pfeife daraus. Währenddem lauscht er wieder.)*

        Er schweigt und lauscht:
          so schwatz ich denn los!

*(Er bläst auf dem Rohr, setzt ab, schnitzt wieder, bes-
sert und bläst wieder. Er schüttelt mit dem Kopfe und
bessert nochmals. Wird ärgerlich, drückt das Rohr mit
der Hand und versucht wieder. Schließlich setzt er
ganz ab.)*

        Das tönt nicht recht;
          auf dem Rohre taugt
    die wonnige Weise mir nicht.
        Vöglein, mich dünkt,
          ich bleibe dumm:
    von dir lernt sich's nicht leicht!

(Er hört den Vogel wieder und blickt zu ihm auf.)

        Nun schäm ich mich gar
          vor dem schelmischen Lauscher:
    er lugt und kann nichts erlauschen.
        Heida! So höre
          nun auf mein Horn.

(Er schwingt das Rohr und wirft es weit fort.)

        Auf dem dummen Rohre
          gerät mir nichts.
        Einer Waldweise,
          wie ich sie kann,
    der lustigen sollst du nun lauschen.
        Nach liebem Gesellen
          lockt' ich mit ihr:
    nichts Beßres kam noch

als Wolf und Bär.
Nun laß mich sehn,
wen jetzt sie mir lockt:
ob das mir ein lieber Gesell?
*(Er nimmt das silberne Hifthorn und bläst darauf. Im
Hintergrunde regt es sich. – Fafner, in der Gestalt
eines ungeheuren eidechsenartigen Schlangenwurms,
hat sich in der Höhle von seinem Lager erhoben; er
bricht durch das Gesträuch und wälzt sich aus der
Tiefe nach der höheren Stelle vor, so daß er mit dem
Vorderleibe bereits auf ihr angelangt ist, als er jetzt
einen starken gähnenden Laut ausstößt.)*

S i e g f r i e d *(sieht sich um und heftet den Blick verwundert auf Fafner)*. Haha! Da hätte mein Lied
mir was Liebes erblasen!
Du wärst mir ein saubrer Gesell!

F a f n e r *(hat beim Anblick Siegfrieds auf der Höhe
angehalten und verweilt nun daselbst)*.
Was ist da?

S i e g f r i e d. Ei, bist du ein Tier,
das zum Sprechen taugt,
wohl ließ sich von dir was lernen?
Hier kennt einer
das Fürchten nicht:
kann er's von dir erfahren?

F a f n e r. Hast du Übermut?

S i e g f r i e d. Mut oder Übermut,
was weiß ich!
Doch dir fahr ich zu Leibe,
lehrst du das Fürchten mich nicht!

F a f n e r *(stößt einen lachenden Laut aus)*.
Trinken wollt' ich:
nun treff ich auch Fraß!
(Er öffnet seinen Rachen und zeigt die Zähne.)

S i e g f r i e d. Eine zierliche Fresse
zeigst du mir da,
lachende Zähne
im Leckermaul!
Gut wär' es, den Schlund dir zu schließen;
dein Rachen reckt sich zu weit!

Fafner. Zu tauben Reden
taugt er schlecht:
dich zu verschlingen,
frommt der Schlund.
(Er droht mit dem Schweife.)

Siegfried. Hoho! Du grausam
grimmiger Kerl!
Von dir verdaut sein
dünkt mich übel:
rätlich und fromm doch scheint's,
du verrecktest hier ohne Frist.

Fafner *(brüllend).* Pruh! Komm,
prahlendes Kind!

Siegfried. Hab acht, Brüller!
Der Prahler naht!

*(Er zieht sein Schwert, springt Fafner an und bleibt
herausfordernd stehen. Fafner wälzt sich weiter auf
die Höhe herauf und sprüht aus den Nüstern auf
Siegfried. Siegfried weicht dem Geifer aus, springt
näher zu und stellt sich zur Seite. Fafner sucht ihn
mit dem Schweife zu erreichen. Siegfried, welchen
Fafner fast erreicht hat, springt mit einem Satze über
diesen hinweg und verwundet ihn an dem Schweife.
Fafner brüllt, zieht den Schweif heftig zurück und
bäumt den Vorderleib, um mit dessen voller Wucht
sich auf Siegfried zu werfen; so bietet er diesem die
Brust dar: Siegfried erspäht schnell die Stelle des
Herzens und stößt sein Schwert bis an das Heft hinein. Fafner bäumt sich vor Schmerz noch höher und
sinkt, als Siegfried das Schwert losgelassen und zur
Seite gesprungen ist, auf die Wunde zusammen.)*

Siegfried. Da lieg, neidischer Kerl:
Notung trägst du im Herzen!

Fafner *(mit schwächerer Stimme).*
Wer bist du, kühner Knabe,
der das Herz mir traf?
Wer reizte des Kindes Mut
zu der mordlichen Tat?
Dein Hirn brütete nicht,
was du vollbracht.

Siegfried. Viel weiß ich noch nicht,
   noch nicht auch, wer ich bin.
   Mit dir mordlich zu ringen,
   reiztest du selbst meinen Mut.
Fafner. Du helläugiger Knabe,
   unkund deiner selbst,
   wen du gemordet,
   meld ich dir.
   Der Riesen ragend Geschlecht,
    Fasolt und Fafner,
   die Brüder, fielen nun beide.
    Um verfluchtes Gold,
    von Göttern vergabt,
   traf ich Fasolt zu Tod.
    Der nun als Wurm
    den Hort bewachte,
   Fafner, den letzten Riesen,
   fällte ein rosiger Held.
    Blicke nun hell,
    blühender Knabe;
   [des Hortes Herrn umringt Verrat:]
   der dich Blinden reizte zur Tat,
   berät jetzt des Blühenden Tod! *(Ersterbend.)*
    Merk, wie's endet!
    Acht auf mich!
Siegfried. Woher ich stamme,
   rate mir noch;
   weise ja scheinst du,
   Wilder, im Sterben;
   rat es nach meinem Namen:
   Siegfried bin ich genannt.
Fafner. Siegfried ...! *(Er seufzt, hebt sich und stirbt.)*
Siegfried. Zur Kunde taugt kein Toter.
   So leite mich denn
   mein lebendes Schwert!
(Fafner hat sich im Sterben zur Seite gewälzt. Sieg-
fried zieht ihm jetzt das Schwert aus der Brust: dabei
wird seine Hand vom Blute benetzt: er fährt heftig
mit der Hand auf.)
   Wie Feuer brennt das Blut!

*(Er führt unwillkürlich die Finger zum Munde, um das
Blut von ihnen abzusaugen. Wie er sinnend vor sich
hinblickt, wird seine Aufmerksamkeit immer mehr
von dem Gesange der Waldvögel angezogen.)*

　　　Ist mir doch fast,
　als sprächen die Vöglein zu mir!
　[Deutlich dünken mich's Worte!]
　　　Nützte mir das
　　　des Blutes Genuß?
　Das seltne Vöglein hier,
　horch, was singet es mir?

S t i m m e   e i n e s   W a l d v o g e l s *(aus den Zweigen
der Linde über Siegfried).* Hei! Siegfried gehört
　　　nun der Niblungen Hort!
　　　O fänd' in der Höhle
　　　den Hort er jetzt!
　Wollt' er den Tarnhelm gewinnen,
　der taugt' ihm zu wonniger Tat:
　doch wollt' er den Ring sich erraten,
　der macht' ihn zum Walter der Welt!

S i e g f r i e d *(hat mit verhaltenem Atem und verzück-
ter Miene gelauscht).* Dank, liebes Vöglein,
　　　für deinen Rat!
　　　Gern folg' ich dem Ruf!

*(Er wendet sich nach hinten und steigt in die Höhle
hinab, wo er alsbald gänzlich verschwindet.)*

DRITTE SZENE

*Mime schleicht scheu umherblickend heran, um sich von
Fafners Tod zu überzeugen. Gleichzeitig kommt von
der anderen Seite Alberich, und er beobachtet Mime genau. Als dieser Siegfried nicht mehr gewahrt und vorsichtig sich der Höhle zuwendet, stürzt Alberich auf
ihn zu und vertritt ihm den Weg.*

A l b e r i c h. Wohin schleichst du
　　　eilig und schlau,
　　　schlimmer Gesell?
M i m e. Verfluchter Bruder,

dich braucht' ich hier!
Was bringt dich her?

A l b e r i c h. Geizt es dich, Schelm,
nach meinem Gold?
Verlangst du mein Gut?

M i m e. Fort von der Stelle!
Die Stätte ist mein:
Was stöberst du hier?

A l b e r i c h. Stör ich dich wohl
im stillen Geschäft,
wenn du hier stiehlst?

M i m e. Was ich erschwang
mit schwerer Müh',
soll mir nicht schwinden.

A l b e r i c h. Hast du dem Rhein
das Gold zum Ringe geraubt?
Erzeugtest du gar
den zähen Zauber im Reif?

M i m e. Wer schuf den Tarnhelm,
der die Gestalten tauscht?
Der sein bedurfte,
erdachtest du ihn wohl?

A l b e r i c h. Was hättest du Stümper
je wohl zu stampfen verstanden?
Der Zauberring
zwang mir den Zwerg erst zur Kunst.

M i m e. Wo hast du den Ring?
Dir Zagem entrissen ihn Riesen!
Was du verlorst,
meine List erlangt es für mich.

A l b e r i c h. Mit des Knaben Tat
will der Knicker nun knausern?
Dir gehört sie gar nicht,
der Helle ist selbst ihr Herr!

M i m e. Ich zog ihn auf;
für die Zucht zahlt er mir nun:
für Müh' und Last
erlauert' ich lang meinen Lohn!

A l b e r i c h. Für des Knaben Zucht
will der knickrige

     schäbige Knecht
     keck und kühn
   wohl gar König nun sein?
      Dem räudigsten Hund
      wäre der Ring
      geratner als dir:
      nimmer erringst
     du, Rüpel, den Herrscherreif!

M i m e *(kratzt sich den Kopf).* Behalt ihn denn
      und hüt ihn wohl,
      den hellen Reif!
      Sei du Herr:
   doch mich heiße auch Bruder!
      Um meines Tarnhelms
      lustigen Tand
      tausch ich ihn dir:
      uns beiden taugt's,
      teilen die Beute wir so.
     (Er reibt sich zutraulich die Hände.)

A l b e r i c h *(mit Hohnlachen).*
      Teilen mit dir?
      Und den Tarnhelm gar?
      Wie schlau du bist!
      Sicher schlief' ich
   niemals vor deinen Schlingen!

M i m e *(außer sich).* Selbst nicht tauschen?
      Auch nicht teilen?
      Leer soll ich gehn?
      Ganz ohne Lohn? *(Kreischend.)*
   Gar nichts willst du mir lassen?

A l b e r i c h. Nichts von allem!
      Nicht einen Nagel
      sollst du dir nehmen!

M i m e *(in höchster Wut).*
      Weder Ring noch Tarnhelm
      soll dir denn taugen!
      Nicht teil ich nun mehr!
      Gegen dich doch ruf ich
      Siegfried zu Rat
      und des Recken Schwert;

der rasche Held,
der richte, Brüderchen, dich!
(Siegfried erscheint im Hintergrunde.)

Alberich. Kehre dich um!
Aus der Höhle kommt er daher!

Mime. Kindischen Tand
erkor er gewiß.

Alberich. Den Tarnhelm hält er!

Mime. Doch auch den Ring!

Alberich. Verflucht! Den Ring!

Mime *(hämisch lachend)*.
Laß ihn den Ring dir doch geben!
Ich will ihn mir schon gewinnen.
(Er schlüpft in den Wald zurück.)

Alberich. Und doch seinem Herrn
soll er allein noch gehören!
(Er verschwindet im Geklüft.)

(Siegfried ist mit Tarnhelm und Ring während des letzteren langsam und sinnend aus der Höhle vorgeschritten: er betrachtet gedankenvoll seine Beute und hält, nahe dem Brunnen, auf der Höhe des Mittelgrundes wieder an.)

Siegfried. Was ihr mir nützt,
weiß ich nicht;
doch nahm ich euch
aus des Horts gehäuftem Gold,
weil guter Rat mir es riet.
So taug' eure Zier
als des Tages Zeuge,
es mahne der Tand,
daß ich kämpfend Fafner erlegt,
doch das Fürchten noch nicht gelernt!

(Er steckt den Tarnhelm in den Gürtel und den Reif an den Finger. Stillschweigen. Wachsendes Waldweben. Siegfried achtet wieder des Vogels und lauscht ihm.)

Stimme des Waldvogels. Hei! Siegfried gehört
nun der Helm und der Ring!
O traute er Mime,
dem treulosen, nicht!

Hörte Siegfried nur scharf
auf des Schelmen Heuchlergered'!
  Wie sein Herz es meint,
  kann er Mime verstehn:
so nütz' ihm des Blutes Genuß.
*(Siegfrieds Miene und Gebärde drücken aus, daß er
den Sinn des Vogelgesanges wohl vernommen. Er sieht
Mime sich nähern und bleibt, ohne sich zu rühren, auf
sein Schwert gestützt, beobachtend in seiner Stellung
auf der Anhöhe bis zum Schlusse des folgenden Auf-
trittes.)*
Mime *(schleicht heran und beobachtet vom Vordergrunde aus Siegfried).* Er sinnt und erwägt
      der Beute Wert.
      Weilte wohl hier
      ein weiser Wandrer,
      schweifte umher,
      beschwatzte das Kind
  mit list'ger Runen Rat?
      Zwiefach schlau
      sei nun der Zwerg:
      Die listigste Schlinge
      leg ich jetzt aus,
      daß ich mit traulichem
      Truggerede
  betöre das trotzige Kind.
      (Er tritt näher an Siegfried heran.)
      Willkommen, Siegfried!
      Sag, du Kühner,
  hast du das Fürchten gelernt?
Siegfried. Den Lehrer fand ich noch nicht!
Mime. Doch den Schlangenwurm,
      du hast ihn erschlagen?
      Das war doch ein schlimmer Gesell?
Siegfried. So grimm und tückisch er war,
      sein Tod grämt mich doch schier,
      da viel üblere Schächer
      unerschlagen noch leben!
      Der mich ihn morden hieß,
      den haß ich mehr als den Wurm!

M i m e *(sehr freundlich).* Nur sachte! Nicht lange
   siehst du mich mehr:
  zum ew'gen Schlaf
 schließ ich dir die Augen bald!
   Wozu ich dich brauchte, *(wie belobend)*
  hast du vollbracht;
  jetzt will ich nur noch
 die Beute dir abgewinnen.
 Mich dünkt, das soll mir gelingen;
 zu betören bist du ja leicht!
S i e g f r i e d. So sinnst du auf meinen Schaden?
M i m e *(verwundert).* Wie, sagt' ich denn das?
  Siegfried! Hör doch, mein Söhnchen!
  Dich und deine Art
 haßt' ich immer von Herzen; *(zärtlich)*
  aus Liebe erzog ich
  dich Lästigen nicht:
 dem Horte in Fafners Hut,
 dem Golde galt meine Müh'.
 (Als verspräche er ihm hübsche Sachen.)
   Gibst du mir das
  Gutwillig nun nicht –
 (als wäre er bereit, sein Leben für ihn zu lassen)
  Siegfried, mein Sohn,
  das siehst du wohl selbst.
  (mit freundlichem Scherze)
  dein Leben mußt du mir lassen!
S i e g f r i e d. Daß du mich hassest,
   hör ich gern:
  doch auch mein Leben muß ich dir lassen?
M i m e *(ärgerlich).* Das sagt' ich doch nicht?
  Du verstehst mich ja falsch!
(Er sucht sein Fläschchen hervor und gibt sich die er-
sichtlichste Mühe zur Verstellung.)
   Sieh, du bist müde
  von harter Müh';
  brünstig wohl brennt dir der Leib:
  Dich zu erquicken
  mit queckem Trank
 säumt' ich Sorgender nicht.

    Als dein Schwert du dir branntest,
    braut' ich den Sud;
    trinkst du nun den,
   gewinn ich dein trautes Schwert
   und mit ihm Helm und Hort.
   (Er kichert dazu.)

S i e g f r i e d. So willst du mein Schwert
    und was ich erschwungen,
    Ring und Beute, mir rauben?

M i m e *(heftig)*. Was du doch falsch mich verstehst!
   Stamml' ich, fasl' ich wohl gar?
    Die größte Mühe
    geb ich mir doch,
    mein heimliches Sinnen
    heuchelnd zu bergen,
    und du dummer Bube
   deutest alles doch falsch!
    Öffne die Ohren
    und vernimm genau:
   Höre, was Mime meint!
   (Wieder sehr freundlich, mit ersichtlicher Mühe.)
   Hier nimm und trinke dir Labung!
   Mein Trank labte dich oft:
    tatst du auch unwirsch,
    stelltest dich arg:
    was ich dir bot,
    erbost auch, nahmst du doch immer.

S i e g f r i e d *(ohne eine Miene zu verziehen)*.
    Einen guten Trank
    hätt' ich gern:
   Wie hast du diesen gebraut?

M i m e *(lustig scherzend, als schildere er ihm einen an-*
  genehm berauschten Zustand, den ihm der Saft berei-
  ten soll). Hei! So trink nur,
    trau meiner Kunst!
    In Nacht und Nebel
   sinken die Sinne dir bald:
    ohne Wach' und Wissen
   stracks streckst du die Glieder.
    Liegst du nun da,

  leicht könnt' ich
die Beute nehmen und bergen:
  Doch erwachtest du je,
  nirgends wär' ich
  sicher vor dir,
hätt' ich selbst auch den Ring.
  Drum mit dem Schwert,
  das so scharf du schufst,
  (mit einer Gebärde ausgelassener Lustigkeit)
  hau ich dem Kind
  den Kopf erst ab:
dann hab ich mir Ruh' und auch den Ring!
  (Er kichert wieder.)

S i e g f r i e d. Im Schlafe willst du mich morden?

M i m e *(wütend ärgerlich).*
  Was möcht ich? Sagt' ich denn das?
(Er bemüht sich, den zärtlichsten Ton anzunehmen.)
  Ich will dem Kind
  (mit sorglichster Deutlichkeit)
  nur den Kopf abhaun!
(Mit dem Ausdruck herzlicher Besorgtheit für Sieg-
frieds Gesundheit.)
  Denn haßte ich dich
  auch nicht so sehr,
  und hätt' ich des Schimpfs
  und der schändlichen Mühe
auch nicht so viel zu rächen: *(sanft)*
  aus dem Wege dich zu räumen,
  darf ich doch nicht rasten:
Wie käm' ich sonst anders zur Beute,
da Alberich auch nach ihr lugt?
(Er gießt den Saft in das Trinkhorn und führt dieses
Siegfried mit aufdringlicher Gebärde zu.)
  Nun, mein Wälsung,
  Wolfssohn du!
Sauf und würg dich zu Tod:
  nie tust du mehr 'nen Schluck! Hihihihi!
(Siegfried holt mit dem Schwert aus. Er führt, wie in
einer Anwandlung heftigen Ekels, einen jähen Streich
nach Mime; dieser stürzt sogleich tot zu Boden.)

S i e g f r i e d. Schmeck du mein Schwert,
   ekliger Schwätzer!
 (Auf den am Boden Liegenden blickend, hängt er ruhig
 sein Schwert wieder ein.)
A l b e r i c h s   S t i m m e *(aus dem Geklüft).*
   Haha! Haha! Haha!
S i e g f r i e d. Neides Zoll
   zahlt Notung:
  dazu durft' ich ihn schmieden.
(Er rafft Mimes Leichnam auf, trägt ihn auf die An-
höhe vor den Eingang der Höhle und wirft ihn dort
hinein.)
   In der Höhle hier
   lieg auf dem Hort!
   Mit zäher List
   erzieltest du ihn:
  jetzt magst du des wonnigen walten!
   Einen guten Wächter
   geb ich dir auch,
  daß er vor Dieben dich deckt.
(Er wälzt mit großer Anstrengung den Leichnam des
Wurmes vor den Eingang der Höhle, so daß er diesen
ganz damit verstopft.)
   Da lieg auch du,
   dunkler Wurm!
   Den gleißenden Hort
   hüte zugleich
  mit dem beuterührigen Feind:
  So fandet beide ihr nun Ruh'!
(Er blickt eine Weile sinnend in die Höhle hinab und
wendet sich dann langsam, wie ermüdet, in den Vor-
dergrund. Es ist Mittag. Er führt sich die Hand über
die Stirn.)
   Heiß ward mir
   von der harten Last!
   Brausend jagt
   mein brünst'ges Blut;
  die Hand brennt mir am Haupt.
  Hoch steht schon die Sonne:
   aus lichtem Blau

blickt ihr Aug'
auf den Scheitel steil mir herab.
Linde Kühlung
erkies ich unter der Linde!

(Er streckt sich unter der Linde aus und blickt wieder durch die Zweige hinauf.)

Noch einmal, liebes Vöglein,
da wir so lang
lästig gestört,
lauscht' ich gerne deinem Sange:
auf dem Zweige seh ich
wohlig dich wiegen;
zwitschernd umschwirren
dich Brüder und Schwestern,
umschweben dich lustig und lieb!
Doch ich – bin so allein,
hab nicht Brüder noch Schwestern:
Meine Mutter schwand,
mein Vater fiel:
nie sah sie der Sohn!
Mein einziger Gesell
war ein garstiger Zwerg;
Güte zwang *(warm)*
uns nie zu Liebe;
listige Schlingen
warf mir der Schlaue;
nun mußt' ich ihn gar erschlagen!

(Er blickt schmerzlich bewegt wieder nach den Zweigen auf.)

Freundliches Vöglein,
dich frage ich nun:
gönntest du mir
wohl ein gut Gesell?
Willst du mir das Rechte raten?
Ich lockte so oft
und erlost' es mir nie:
Du, mein Trauter,
träfst es wohl besser,
so recht ja rietest du schon.
Nun sing! Ich lausche dem Sang.

S t i m m e d e s W a l d v o g e l s. Hei! Siegfried erschlug
    nun den schlimmen Zwerg!
    Jetzt wüßt' ich ihm noch
    das herrlichste Weib:
    Auf hohem Felsen sie schläft,
    Feuer umbrennt ihren Saal:
     Durchschritt' er die Brunst,
     weckt' er die Braut,
    Brünnhilde wäre dann sein!

S i e g f r i e d *(fährt mit jäher Heftigkeit vom Sitze auf.)*
    O holder Sang!
    Süßester Hauch!
    Wie brennt sein Sinn
    mir sehrend die Brust!
    Wie zückt er heftig
    zündend mein Herz!
    Was jagt mir so jach
    durch Herz und Sinne?
    Sag es mir, süßer Freund!

S t i m m e d e s W a l d v o g e l s. Lustig im Leid
    sing ich von Liebe;
    wonnig aus Weh
    web ich mein Lied:
    nur Sehnende kennen den Sinn!

S i e g f r i e d. Fort jagt mich's
    jauchzend von hinnen,
    fort aus dem Wald auf den Fels!
    Noch einmal sage mir,
    holder Sänger:
    werd ich das Feuer durchbrechen?
    Kann ich erwecken die Braut?

S t i m m e d e s W a l d v o g e l s. Die Braut gewinnt,
    Brünnhild erweckt
    ein Feiger nie:
    nur wer das Fürchten nicht kennt!

S i e g f r i e d *(lacht auf vor Entzücken)*.
    Der dumme Knab',
    der das Fürchten nicht kennt,
    mein Vöglein, der bin ja ich!
    Noch heute gab ich

        vergebens mir Müh',
   das Fürchten von Fafner zu lernen:
        nun brenn ich vor Lust,
        es von Brünnhild zu wissen!
     Wie find ich zum Felsen den Weg?
*(Der Vogel flattert auf, kreist über Siegfried und
fliegt ihm zögernd voran.)*
S i e g f r i e d *(jauchzend).*
        So wird mir der Weg gewiesen:
        wohin du flatterst,
        folg ich dir nach!
*(Er läuft dem Vogel, der ihn neckend eine Zeitlang
nach verschiedenen Richtungen hinleitet, nach und
folgt ihm endlich, als dieser mit einer bestimmten
Wendung nach dem Hintergrunde davonfliegt. Der
Vorhang fällt.)*

ORCHESTERVORSPIEL

(Lebhaft, doch gewichtig, g-moll ⁴/₄)

DRITTER AUFZUG

*Wilde Gegend am Fuße eines Felsenberges,
welcher nach links hinten steil aufsteigt. – Nacht, Sturm
und Wetter, Blitz und heftiger Donner, der schließlich
nachläßt, während Blitze noch längere Zeit die Wolken
durchkreuzen.*

ERSTE SZENE

W a n d e r e r *(schreitet auf ein Höhlentor in einem
Felsen des Vordergrundes zu und nimmt dort, auf
seinen Speer gestützt, eine Stellung ein, während er
das Folgende dem Eingange der Höhle zuruft).*
    Wache, Wala!
    Wala, erwach'!
    Aus langem Schlaf
weck ich dich Schlummernde auf.
    Ich rufe dich auf:
    Herauf! Herauf!
    Aus nebliger Gruft,
aus nächtigem Grunde herauf!
    Erda! Erda!
    Ewiges Weib!
    Aus heimischer Tiefe
    tauche zur Höh'!
    Dein Wecklied sing ich,
    daß du erwachest;
    aus sinnendem Schlafe
    weck ich dich auf.
    Allwissende!
    Urweltweise!
    Erda! Erda!
    Ewiges Weib!
    Wache, erwache,
    du Wala! Erwache!

*(Die Höhlengruft erdämmert. Bläulicher Lichtschein:
von ihm beleuchtet steigt Erda allmählich aus der
Tiefe auf. Sie erscheint wie von Reif bedeckt; Haar
und Gewand werfen einen glitzernden Schimmer von
sich.)*

Erda. Stark ruft das Lied;
      kräftig reizt der Zauber.
        Ich bin erwacht
        aus wissendem Schlaf.
      Wer scheucht den Schlummer mir?

Wanderer. Der Weckrufer bin ich
        und Weisen üb ich,
        daß weithin wache,
    was fester Schlaf verschließt.
        Die Welt durchzog ich,
        wanderte viel,
        Kunde zu werben,
    urweisen Rat zu gewinnen.
        Kundiger gibt es
        keine als dich;
        bekannt ist dir,
        was die Tiefe birgt,
        was Berg und Tal,
    Luft und Wasser durchwebt.
        Wo Wesen sind,
        wehet dein Atem;
        wo Hirne sinnen,
        haftet dein Sinn:
        alles, sagt man,
        sei dir bekannt.
      Daß ich nun Kunde gewänne,
      weck ich dich aus dem Schlaf!

Erda. Mein Schlaf ist Träumen,
        mein Träumen Sinnen,
      mein Sinnen Walten des Wissens.
      Doch wenn ich schlafe,
        wachen Nornen:
        sie weben das Seil
      und spinnen fromm, was ich weiß.
      Was fragst du nicht die Nornen?

W a n d e r e r . Im Zwange der Welt
    weben die Nornen:
sie können nichts wenden noch wandeln.
Doch deiner Weisheit
    dankt' ich den Rat wohl,
wie zu hemmen ein rollendes Rad?
E r d a . Männertaten
umdämmern mir den Mut:
    mich Wissende selbst
bezwang ein Waltender einst.
    Ein Wunschmädchen
    gebar ich Wotan:
    der Helden Wal
hieß für sich er sie küren.
    Kühn ist sie
    und weise auch:
    Was weckst du mich
    und fragst um Kunde
nicht Erdas und Wotans Kind?
W a n d e r e r .
    Die Walküre meinst du,
    Brünnhild, die Maid?
Sie trotzte dem Stürmebezwinger:
wo er am stärksten sich selbst bezwang.
    Was den Lenker der Schlacht
    zu tun verlangte,
    doch dem er wehrte
    zuwider sich selbst,
    allzu vertraut
    wagte die Trotzige
das für sich zu vollbringen,
Brünnhild in brennender Schlacht.
    Streitvater
    strafte die Maid:
in ihr Auge drückte er Schlaf;
auf dem Felsen schläft sie fest.
    Erwachen wird
    die Weihliche nur,
um einen Mann zu minnen als Weib.
Frommten mir Fragen an sie?

E r d a *(im Sinnen versunken, beginnt erst nach länge-*
  rem Schweigen). Wirr wird mir,
        seit ich erwacht:
        wild und kraus
        kreist die Welt!
        Die Walküre,
        der Wala Kind,
      büßt' in Banden des Schlafs,
    als die wissende Mutter schlief?
        Der den Trotz lehrte,
        straft den Trotz?
        Der die Tat entzündet,
        zürnt um die Tat?
        Der die Rechte wahrt,
        der die Eide hütet,
        wehret dem Recht,
        herrscht durch Meineid?
    Laß mich wieder hinab!
    Schlaf verschließe mein Wissen!
W a n d e r e r. Dich, Mutter, laß ich nicht ziehn,
    da des Zaubers mächtig ich bin.
        Urwissend
        stachest du einst
        der Sorge Stachel
    in Wotans wagendes Herz:
        mit Furcht vor schmachvoll
        feindlichem Ende
        füllt' ihn dein Wissen,
    daß Bangen band seinen Mut.
        Bist du der Welt
        weisestes Weib,
        sage mir nun:
    wie besiegt die Sorge der Gott?
E r d a. Du bist – nicht,
        was du dich nennst!
    Was kamst du, störrischer Wilder,
    zu stören der Wala Schlaf?
        [Friedloser,
        laß mich frei!
        Löse des Zaubers Zwang!]

W a n d e r e r . Du bist – nicht,
    was du dich wähnst!
    Urmütter-Weisheit
    geht zu Ende:
    dein Wissen verweht
    vor meinem Willen.
    Weißt du, was Wotan will?
    (Langes Schweigen.)
    Dir Unweisen
    ruf ich ins Ohr,
    daß sorglos ewig du nun schläfst!
    Um der Götter Ende
    grämt mich die Angst nicht,
seit mein Wunsch es will!
Was in des Zwiespalts wildem Schmerze
verzweifelnd einst ich beschloß,
    froh und freudig
    führe frei ich nun aus.
    Weiht' ich in wütendem Ekel
des Niblungen Neid schon die Welt,
    dem herrlichsten Wälsung
weis ich mein Erbe nun an.
    Der von mir erkoren,
    doch nie mich gekannt,
    ein kühnester Knabe,
    bar meines Rates,
errang des Niblungen Ring.
    Liebesfroh,
    ledig des Neides,
    erlahmt an dem Edlen
    Alberichs Fluch;
denn fremd bleibt ihm die Furcht.
    Die du mir gebarst,
    Brünnhild,
weckt sich hold der Held:
    wachend wirkt
    dein wissendes Kind
erlösende Weltentat.
    Drum schlafe nun du,
    schließe dein Auge;

träumend erschau mein Ende!
    Was jene auch wirken,
    dem ewig Jungen
weicht in Wonne der Gott.
    Hinab denn, Erda!
    Urmütterfurcht!
    Ursorge!
    Hinab! Hinab
    zu ew'gem Schlaf!

(Nachdem Erda bereits die Augen geschlossen und all-mählich tiefer gesunken ist, verschwindet sie jetzt gänzlich; auch die Höhle ist wiederum durchaus ver-finstert. Monddämmerung erhellt die Bühne; der Sturm hat aufgehört.)

ZWEITE SZENE

Der Wanderer ist dicht an die Höhle getreten und lehnt sich dann mit dem Rücken an das Gestein derselben, das Gesicht der Szene zugewandt.

W a n d e r e r. Dort seh ich Siegfried nahn.
    (Er verbleibt in seiner Stellung an der Höhle. Sieg-frieds Waldvogel flattert dem Vordergrunde zu. Plötzlich hält der Vogel in seiner Richtung ein, flat-tert ängstlich hin und her und verschwindet hastig dem Hintergrunde zu.)
S i e g f r i e d *(tritt rechts im Vordergrunde auf und hält an)*. Mein Vöglein schwebte mir fort!
    Mit flatterndem Flug
    und süßem Sang
wies es mich wonnig des Wegs:
nun schwand es fern mir davon!
    Am besten find ich mir
    selbst nun den Berg.
Wohin mein Führer mich wies,
dahin wandr' ich jetzt fort.
    (Er schreitet weiter nach hinten.)
W a n d e r e r. Wohin, Knabe,
    heißt dich dein Weg?

S i e g f r i e d *(hält an und wendet sich um).*
        Da redet's ja;
    wohl rät das mir den Weg.
    (Er tritt dem Wanderer näher.)
        Einen Felsen such ich,
    von Feuer ist der umwabert:
        Dort schläft ein Weib,
        das ich wecken will.
W a n d e r e r. Wer sagt' es dir,
        den Fels zu suchen?
    Wer, nach der Frau dich zu sehnen?
S i e g f r i e d. Mich wies ein singend
        Waldvöglein,
    das gab mir gute Kunde.
W a n d e r e r. Ein Vöglein schwatzt wohl manches;
    kein Mensch doch kann's verstehn.
        Wie mochtest du Sinn
        dem Sang entnehmen?
S i e g f r i e d. Das wirkte das Blut
        eines wilden Wurms,
    der mir vor Neidhöhl' erblaßte.
        Kaum netzt' es zündend
        die Zunge mir,
    da verstand ich der Vöglein Gestimm'.
W a n d e r e r. Erschlugst den Riesen du,
        wer reizte dich,
    den starken Wurm zu bestehn?
S i e g f r i e d. Mich führte Mime,
        ein falscher Zwerg;
    das Fürchten wollt' er mich lehren.
        Zum Schwertstreich aber,
        der ihn erschlug,
    reizte der Wurm mich selbst,
    seinen Rachen riß er mir auf.
W a n d e r e r. Wer schuf das Schwert
        so scharf und hart,
    daß der stärkste Feind ihm fiel?
S i e g f r i e d. Das schweißt' ich mir selbst,
        da 's der Schmied nicht konnte:
    schwertlos noch wär' ich wohl sonst.

Wanderer. Doch, wer schuf
  die starken Stücken,
  daraus das Schwert du dir geschweißt?

Siegfried. Was weiß ich davon?
  Ich weiß allein,
  daß die Stücken mir nichts nützten,
  schuf ich das Schwert mir nicht neu.

Wanderer *(bricht in ein freudig gemütliches Lachen
  aus).* Das – mein ich wohl auch!
  (Er betrachtet Siegfried wohlgefällig.)

Siegfried *(verwundert).* Was lachst du mich aus?
  Alter Frager!
  Hör einmal auf:
  laß mich nicht länger hier schwatzen!
  Kannst du den Weg
  mir weisen, so rede:
  vermagst du's nicht,
  so halte dein Maul!

Wanderer. Geduld, du Knabe!
  Dünk ich dich alt,
  so sollst du Achtung mir bieten.

Siegfried. Das wär' nicht übel!
  Solang ich lebe,
  stand mir ein Alter
  stets im Wege;
  den hab ich nun fortgefegt.
  Stemmst du dort länger
  steif dich mir entgegen –
  sieh dich vor, sag ich,
  daß du wie Mime nicht fährst!
  (Er tritt noch näher an den Wanderer heran.)
  Wie siehst du denn aus?
  Was hast du gar
  für 'nen großen Hut?
  Warum hängt er dir so ins Gesicht?

Wanderer *(immer ohne seine Stellung zu verlassen).*
  Das ist so des Wand'rers Weise,
  wenn dem Wind entgegen er geht.

Siegfried *(immer näher ihn betrachtend).*
  Doch darunter fehlt dir ein Auge:

          Das schlug dir einer
          gewiß schon aus,
          dem du zu trotzig
          den Weg vertratst?
          Mach dich jetzt fort,
          sonst könntest du leicht
das andere auch noch verlieren.

W a n d e r e r. Ich seh, mein Sohn,
          wo du nichts weißt,
      da weißt du dir leicht zu helfen.
          Mit dem Auge,
          das als andres mir fehlt,
      erblickst du selber das eine,
      das mir zum Sehen verblieb.

S i e g f r i e d *(der sinnend zugehört hat, bricht jetzt
unwillkürlich in helles Lachen aus).* Hahahaha!
      Zum Lachen bist du mir lustig!
      Doch hör, nun schwatz ich nicht länger:
      geschwind, zeig mir den Weg,
      deines Weges ziehe dann du;
          zu nichts andrem
          acht ich dich nütz:
      drum sprich, sonst spreng ich dich fort!

W a n d e r e r *(weich).* Kenntest du mich,
          kühner Sproß,
      den Schimpf spartest du mir!
          Dir so vertraut,
      trifft mich schmerzlich dein Dräuen.
          Liebt' ich von je
          deine lichte Art,
          Grauen auch zeugt' ihr
          mein zürnender Grimm.
          Dem ich so hold bin,
          Allzuhehrer,
      heut nicht wecke mir Neid:
      er vernichtete dich und mich!

S i e g f r i e d. Bleibst du mir stumm,
          störrischer Wicht?
          Weich von der Stelle,
          denn dorthin, ich weiß,

führt es zur schlafenden Frau.
 So wies es mein Vöglein,
das hier erst flüchtig entfloh.
(Es wird schnell wieder ganz finster.)

W a n d e r e r *(in Zorn ausbrechend und in gebieteri-*
scher Stellung). Es floh dir zu seinem Heil!
 Den Herrn der Raben
 erriet es hier:
weh ihm, holen sie's ein!
 Den Weg, den es zeigte,
 sollst du nicht ziehn!

S i e g f r i e d *(tritt mit Verwunderung in trotziger*
Stellung zurück). Hoho, du Verbieter!
 Wer bist du denn,
 daß du mir wehren willst?

W a n d e r e r. Fürchte des Felsens Hüter!
 Verschlossen hält
meine Macht die schlafende Maid:
 Wer sie erweckte,
 wer sie gewänne,
machtlos macht' er mich ewig!
 Ein Feuermeer
 umflutet die Frau,
 glühende Lohe
 umleckt den Fels:
 Wer die Braut begehrt,
dem brennt entgegen die Brunst.
(Er winkt mit dem Speere nach der Felsenhöhe.)
 Blick nach der Höh'!
 Erlugst du das Licht?
 Es wächst der Schein,
 es schwillt die Glut;
 sengende Wolken,
 wabernde Lohe
 wälzen sich brennend
 und prasselnd herab:
 ein Lichtmeer
 umleuchtet dein Haupt:
(Mit wachsender Helle zeigt sich von der Höhe des
Felsens her ein wabernder Feuerschein.)

       Bald frißt und zehrt dich
       zündendes Feuer.
       Zurück denn, rasendes Kind!

Siegfried. Zurück, du Prahler, mit dir!
       Dort, wo die Brünste brennen,
       zu Brünnhilde muß ich dahin!
       (Er schreitet weiter, der Wanderer stellt sich ihm entgegen.)

Wanderer. Fürchtest das Feuer du nicht,
       (den Speer vorhaltend)
       so sperre mein Speer dir den Weg!
       Noch hält meine Hand
       der Herrschaft Haft:
       Das Schwert, das du schwingst,
       zerschlug einst dieser Schaft:
       noch einmal denn
       zerspring es am ew'gen Speer!
       (Er streckt den Speer vor.)

Siegfried *(das Schwert ziehend)*.
       Meines Vaters Feind!
       Find ich dich hier?
       Herrlich zur Rache
       geriet mir das!
       Schwing deinen Speer:
       in Stücken spalt' ihn mein Schwert!
       (Er haut dem Wanderer mit einem Schlage den Speer in zwei Stücken; ein Blitzstrahl fährt daraus nach der Felsenhöhe zu, wo von nun an der bisher matte Schein in immer helleren Feuerflammen zu lodern beginnt. Starker Donner, der schnell sich abschwächt, begleitet den Schlag. Die Speerstücke rollen zu des Wanderers Füßen. Er rafft sie ruhig auf.)

Wanderer *(zurückweichend)*.
       Zieh hin! Ich kann dich nicht halten!
       (Er verschwindet plötzlich in völliger Finsternis.)

Siegfried. Mit zerfochtner Waffe
       floh mir der Feige?
       (Die wachsende Helle der immer tiefer sich senkenden Feuerwolken trifft Siegfrieds Blick.)
       Ha! Wonnige Glut!

Leuchtender Glanz!
Strahlend nun offen
steht mir die Straße.
Im Feuer mich baden!
Im Feuer zu finden die Braut!
Hoho! Hahei!
Jetzt lock ich ein liebes Gesell!

*(Siegfried setzt sein Horn an und stürzt sich, seine
Lockweise blasend, ins wogende Feuer, das sich, von
der Höhe herabdringend, nun auch über den Vordergrund ausbreitet. Siegfried, den man bald nicht mehr
erblickt, scheint sich nach der Höhe zu entfernen. Hell-
stes Leuchten der Flammen. Danach beginnt die Glut
zu erbleichen und löst sich allmählich in immer feine-
res, wie durch die Morgenröte beleuchtetes Gewölk
auf.)*

DRITTE SZENE

*Das immer zarter gewordene Gewölk hat sich in einen
feinen Nebelschleier von rosiger Färbung aufgelöst und
zerteilt sich nun in der Weise, daß der Duft sich gänzlich nach oben verzieht und endlich nur noch den heite-
ren, blauen Tageshimmel erblicken läßt, während am
Saume der nun sichtbar werdenden Felsenhöhe – ganz
die gleiche Szene wie im dritten Aufzug der »Walküre«
– ein morgenrötlicher Nebelschleier haften bleibt, welcher zugleich an die in der Tiefe noch lodernde Zauber-
lohe erinnert. – Die Anordnung der Szene ist dieselbe
wie am Schlusse der »Walküre«: im Vordergrunde, unter
der breitästigen Tanne, liegt Brünnhilde in vollständi-
ger glänzender Panzerrüstung, mit dem Helm auf dem
Haupte, den langen Schild über sich gedeckt, in tiefem
Schlafe.*

Siegfried *(gelangt von außen her auf den felsigen
Saum der Höhe und zeigt sich dort zuerst nur mit dem
Oberleibe: so blickt er lange staunend um sich).*
Selige Öde
auf sonniger Höh'!

(Er steigt vollends herauf und betrachtet, auf einem Felsensteine des hinteren Abhanges stehend, mit Verwunderung die Szene. Er blickt zur Seite in den Tann und schreitet etwas vor.)

   Was ruht dort schlummernd
   im schattigen Tann?
   Ein Roß ist's,
   rastend in tiefem Schlaf!

(Langsam näherkommend, hält er verwundert an, als er noch aus einiger Entfernung Brünnhildes Gestalt wahrnimmt.)

   Was strahlt mir dort entgegen?
   Welch glänzendes Stahlgeschmeid?
    Blendet mir noch
    die Lohe den Blick? *(Er tritt näher hinzu.)*
    Helle Waffen!
    Heb ich sie auf?

(Er hebt den Schild ab und erblickt Brünnhildes Gestalt, während ihr Gesicht jedoch noch zum großen Teil vom Helm verdeckt ist.)

   Ha, in Waffen ein Mann!
   Wie mahnt mich wonnig sein Bild!
    Das hehre Haupt
    drückt wohl der Helm?
    Leichter würd' ihm,
    löst' ich den Schmuck.

(Vorsichtig löst er den Helm und hebt ihn der Schlafenden vom Haupte ab: langes lockiges Haar quillt hervor. Siegfried erschrickt.)

   Ach! Wie schön
    (Er bleibt in den Anblick versunken.)
   Schimmernde Wolken
   säumen in Wellen
   den hellen Himmelssee;
    leuchtender Sonne
    lachendes Bild
   strahlt durch das Wogengewölk!

(Er neigt sich tiefer zu der Schlafenden hinab.)

    Von schwellendem Atem
    schwingt sich die Brust!

    Brech ich die engende Brünne?
(Er versucht mit großer Behutsamkeit die Brünne zu lösen.)
        Komm, mein Schwert,
        schneide das Eisen!
(Er zieht sein Schwert, durchschneidet mit zarter Vorsicht die Panzerringe zu beiden Seiten der ganzen Rüstung und hebt dann die Brünne und die Schienen ab, so daß nun Brünnhilde in einem weichen, weiblichen Gewande vor ihm liegt. Er fährt erschreckt und staunend auf.)
        Das ist kein Mann!
(Er starrt mit höchster Aufgeregtheit auf die Schlafende hin.)
        Brennender Zauber
        zückt mir ins Herz;
        feurige Angst
        faßt meine Augen:
    mir schwankt und schwindelt der Sinn!
        (Er gerät in höchste Beklemmung.)
        Wen ruf ich zum Heil,
        daß er mir helfe?
        Mutter, Mutter!
        Gedenke mein!
(Er sinkt, wie ohnmächtig, an Brünnhildes Busen. – Langes Schweigen. – Er fährt seufzend auf.)
        Wie weck ich die Maid,
        daß sie ihr Auge mir öffne?
        Das Auge mir öffnen?
    Blende mich auch noch der Blick?
        Wagt' es mein Trotz?
        Ertrüg' ich das Licht?
        Mir schwebt und schwankt
        und schwirrt es umher!
        Sehrendes Sehnen
        zehrt meine Sinne;
        am zagenden Herzen
        zittert die Hand!
        Wie ist mir Feigem?
        Ist dies das Fürchten?

O Mutter, Mutter!
Dein mutiges Kind!
Im Schlafe liegt eine Frau:
die hat ihn das Fürchten gelehrt!
Wie end ich die Furcht?
Wie faß ich Mut?
Daß ich selbst erwache,
muß die Maid ich erwecken!

*(Indem er sich der Schlafenden von neuem nähert,
wird er wieder von zarteren Empfindungen an ihren
Anblick gefesselt. Er neigt sich tiefer hinab.)*

Süß erbebt mir
ihr blühender Mund.
Wie mild erzitternd
mich Zagen er reizt!
Ach! Dieses Atems
wonnig warmes Gedüft!
(Wie in Verzweiflung.)
Erwache! Erwache!
Heiliges Weib!
(Er starrt auf sie hin.)
Sie hört mich nicht.

(Gedehnt mit gepreßtem, drängendem Ausdruck.)

So saug ich mir Leben
aus süßesten Lippen,
sollt' ich auch sterbend vergehn!

*(Er sinkt, wie ersterbend, auf die Schlafende und hef-
tet mit geschlossenen Augen seine Lippen auf ihren
Mund. Brünnhilde schlägt die Augen auf. Siegfried
fährt auf und bleibt vor ihr stehen. Brünnhilde richtet
sich langsam zum Sitze auf. Sie begrüßt mit feierlichen
Gebärden der erhobenen Arme ihre Rückkehr zur
Wahrnehmung der Erde und des Himmels.)*

Brünnhilde. Heil dir, Sonne!
Heil dir, Licht!
Heil dir, leuchtender Tag!
Lang war mein Schlaf;
ich bin erwacht.
Wer ist der Held,
der mich erweckt?

S i e g f r i e d *(von ihrem Blick und ihrer Stimme feier-*
lich ergriffen, steht wie festgebannt).

> Durch das Feuer drang ich,
> das den Fels umbrann;
> ich erbrach dir den festen Helm:
> Siegfried bin ich,
> der dich erweckt.

B r ü n n h i l d e *(hoch aufgerichtet sitzend).*

> Heil euch, Götter!
> Heil dir, Welt!
> Heil dir, prangende Erde!
> Zu End' ist nun mein Schlaf;
> erwacht, seh ich:
> Siegfried ist es,
> der mich erweckt!

S i e g f r i e d *(in erhabenste Verzückung ausbrechend).*

> O Heil der Mutter,
> die mich gebar;
> Heil der Erde,
> die mich genährt!
> Daß ich das Aug' erschaut,
> das jetzt mir Seligem lacht!

B r ü n n h i l d e *(mit größter Bewegtheit).*

> O Heil der Mutter,
> die dich gebar!
> Heil der Erde,
> die dich genährt!
> Nur dein Blick durfte mich schaun,
> erwachen durft' ich nur dir!

(Beide bleiben voll strahlenden Entzückens in ihren
gegenseitigen Anblick verloren.)

> O Siegfried! Siegfried!
> Seliger Held!
> Du Wecker des Lebens,
> siegendes Licht!
> O wüßtest du, Lust der Welt,
> wie ich dich je geliebt!
> Du warst mein Sinnen,
> mein Sorgen du!
> Dich Zarten nährt' ich,

noch eh du gezeugt;
noch eh du geboren,
barg dich mein Schild:
So lang lieb ich dich, Siegfried!

S i e g f r i e d *(leise und schüchtern).*
So starb nicht meine Mutter?
Schlief die minnige nur?

B r ü n n h i l d e *(lächelnd, freundlich die Hand nach ihm ausstreckend).* Du wonniges Kind!
Deine Mutter kehrt dir nicht wieder.
Du selbst bin ich,
wenn du mich Selige liebst.
Was du nicht weißt,
weiß ich für dich;
doch wissend bin ich
nur – weil ich dich liebe!
O Siegfried! Siegfried!
Siegendes Licht!
Dich lieb' ich immer;
denn mir allein
erdünkte Wotans Gedanke.
Der Gedanke, den ich nie
nennen durfte;
den ich nicht dachte,
sondern nur fühlte;
für den ich focht,
kämpfte und stritt;
für den ich trotzte
dem, der ihn dachte;
für den ich büßte,
Strafe mich band,
weil ich nicht ihn dachte
und nur empfand!
Denn der Gedanke –
dürftest du's lösen! –
mir war er nur Liebe zu dir!

S i e g f r i e d. Wie Wunder tönt,
was wonnig du singst;
doch dunkel dünkt mich der Sinn.
Deines Auges Leuchten

seh ich licht;
deines Atems Wehen
fühl ich warm:
deiner Stimme Singen
hör ich süß:
doch was du singend mir sagst,
staunend versteh ich's nicht.
Nicht kann ich das Ferne
sinnig erfassen,
wenn alle Sinne
dich nur sehen und fühlen!
Mit banger Furcht
fesselst du mich:
du einz'ge hast
ihre Angst mich gelehrt.
Den du gebunden
in mächtigen Banden,
birg meinen Mut mir nicht mehr!
(Er verweilt in großer Aufregung, den sehnsuchtsvollen Blick auf sie heftend.)

B r ü n n h i l d e *(wendet sanft das Haupt zur Seite und richtet ihren Blick nach dem Tann).*

Dort seh ich Grane,
mein selig Roß:
Wie weidet er munter,
der mit mir schlief!
Mit mir hat ihn Siegfried erweckt.

S i e g f r i e d *(in der vorigen Stellung verbleibend).*

Auf wonnigem Munde
weidet mein Auge:
in brünstigem Durst
doch brennen die Lippen,
daß der Augen Weide sie labe!

B r ü n n h i l d e *(deutet ihm mit der Hand nach ihren Waffen, die sie gewahrt).*

Dort seh ich den Schild,
der Helden schirmte;
dort seh ich den Helm,
der das Haupt mir barg:
er schirmt, er birgt mich nicht mehr!

S i e g f r i e d. Eine selige Maid
                   versehrte mein Herz;
                   Wunden dem Haupte
                   schlug mir ein Weib:
              ich kam ohne Schild und Helm!
B r ü n n h i l d e *(mit gesteigerter Wehmut)*.
                   Ich sehe der Brünne
                   prangenden Stahl:
                   ein scharfes Schwert
                   schnitt sie entzwei;
                   von dem maidlichen Leibe
                   löst' es die Wehr;
              ich bin ohne Schutz und Schirm,
              ohne Trutz ein trauriges Weib!
S i e g f r i e d. Durch brennendes Feuer
                   fuhr ich zu dir!
                   Nicht Brünne noch Panzer
                   barg meinen Leib:
                   Nun brach die Lohe
                   mir in die Brust.
                   Es braust mein Blut
                   in blühender Brunst;
                   ein zehrendes Feuer
                   ist mir entzündet:
                   Die Glut, die Brünnhilds
                   Felsen umbrann,
              die brennt mir nun in der Brust!
              O Weib, jetzt lösche den Brand!
              Schweige die schäumende Glut!
     *(Er hat sie heftig umfaßt: sie springt auf, wehrt ihm
     mit der höchsten Kraft der Angst und entflieht nach
     der anderen Seite.)*
B r ü n n h i l d e. Kein Gott nahte mir je!
                   Der Jungfrau neigten
                   scheu sich die Helden:
              heilig schied sie aus Walhall!
                   Wehe! Wehe!
                   Wehe der Schmach,
                   der schmählichen Not!
                   Verwundet hat mich,

der mich erweckt!
Er erbrach mir Brünne und Helm:
Brünnhilde bin ich nicht mehr!

S i e g f r i e d. Noch bist du mir
die träumende Maid:
Brünnhildes Schlaf
brach ich noch nicht.
Erwache, sei mir ein Weib!

B r ü n n h i l d e. Mir schwirren die Sinne,
mein Wissen schweigt:
Soll mir die Weisheit schwinden?

S i e g f r i e d. Sangst du mir nicht,
dein Wissen sei
das Leuchten der Liebe zu mir?

B r ü n n h i l d e *(vor sich hinstarrend).*
Trauriges Dunkel
trübt meinen Blick;
mein Auge dämmert,
das Licht verlischt:
Nacht wird's um mich.
Aus Nebel und Grau'n
windet sich wütend
ein Angstgewirr:
Schrecken schreitet
und bäumt sich empor!

(Sie birgt heftig die Augen mit beiden Händen.)

S i e g f r i e d *(indem er ihr sanft die Hände von den
Augen löst).* Nacht umfängt
gebundne Augen.
Mit den Fesseln schwindet
das finstre Grau'n.
Tauch aus dem Dunkel und sieh:
sonnenhell leuchtet der Tag.

B r ü n n h i l d e *(in höchster Ergriffenheit).* Sonnenhell
leuchtet der Tag meiner Schmach! –
O Siegfried! Siegfried!
Sieh meine Angst!

*(Ihre Miene verrät, daß ihr ein anmutiges Bild vor die
Seele tritt, von welchem ab sie den Blick mit Sanftmut
wieder auf Siegfried richtet.)*

Ewig war ich,
ewig bin ich,
ewig in süß
sehnender Wonne,
doch ewig zu deinem Heil!
O Siegfried! Herrlicher!
Hort der Welt!
Leben der Erde!
Lachender Held!
Laß, ach laß,
lasse von mir!
Nahe mir nicht
mit der wütenden Nähe!
Zwinge mich nicht
mit dem brechenden Zwang,
zertrümmre die Traute dir nicht!
Sahst du dein Bild
im klaren Bach?
Hat es dich Frohen erfreut?
Rührtest zur Woge
das Wasser du auf;
zerflösse die klare
Fläche des Bachs:
dein Bild sähst du nicht mehr,
nur der Welle schwankend Gewog'.
So berühre mich nicht,
trübe mich nicht!
Ewig licht
lachst du selig dann
aus mir dir entgegen,
froh und heiter ein Held!
O Siegfried!
Leuchtender Sproß!
Liebe dich
und lasse von mir:
vernichte dein Eigen nicht!
Siegfried. Dich lieb ich:
o liebtest mich du!
Nicht hab ich mehr mich:
o hätte ich dich!

Ein herrlich Gewässer
wogt vor mir;
mit allen Sinnen
seh ich nur sie,
die wonnig wogende Welle.
Brach sie mein Bild,
so brenn ich nun selbst,
sengende Glut
in der Flut zu kühlen;
ich selbst, wie ich bin,
spring in den Bach:
O daß seine Wogen
mich selig verschlängen,
mein Sehnen schwänd' in der Flut!
Erwache, Brünnhilde!
Wache, du Maid!
Lache und lebe,
süßeste Lust!
Sei mein! Sei mein! Sei mein!

B r ü n n h i l d e *(sehr innig).* O Siegfried! Dein
war ich von je!

S i e g f r i e d *(feurig).* Warst du's von je,
so sei es jetzt!

B r ü n n h i l d e. Dein werd ich
ewig sein!

S i e g f r i e d. Was du sein wirst,
sei es mir heut!
Faßt dich mein Arm,
umschling ich dich fest;
schlägt meine Brust
brünstig die deine;
zünden die Blicke,
zehren die Atem sich;
Aug' in Auge,
Mund an Mund:
dann bist du mir,
was bang du mir warst und wirst!
Dann brach sich die brennende Sorge,
ob jetzt Brünnhilde mein? *(Er hat sie umfaßt.)*

B r ü n n h i l d e. Ob jetzt ich dein?

Göttliche Ruhe
rast mir in Wogen;
keuschestes Licht
lodert in Gluten:
himmlisches Wissen
stürmt mir dahin,
Jauchzen der Liebe
jagt es davon!
Ob jetzt ich dein?
Siegfried! Siegfried!
Siehst du mich nicht?
Wie mein Blick dich verzehrt,
erblindest du nicht?
Wie mein Arm dich preßt,
entbrennst du mir nicht?
Wie in Strömen mein Blut
entgegen dir stürmt,
das wilde Feuer,
fühlst du es nicht?
Fürchtest du, Siegfried,
fürchtest du nicht
das wild wütende Weib?
(Sie umfaßt ihn heftig.)

S i e g f r i e d *(in freudigem Schreck).* Ha!
Wie des Blutes Ströme sich zünden,
wie der Blicke Strahlen sich zehren,
wie die Arme brünstig sich pressen,
kehrt mir zurück
mein kühner Mut,
und das Fürchten, ach!
das ich nie gelernt,
das Fürchten, das du
mich kaum gelehrt:
das Fürchten – mich dünkt,
ich Dummer vergaß es nun ganz!
(Er hat bei den letzten Worten Brünnhilde unwillkür-
lich losgelassen.)

B r ü n n h i l d e *(im höchsten Liebesjubel wild auf-*
lachend). O kindischer Held!
O herrlicher Knabe!

Du hehrster Taten
töriger Hort!
Lachend muß ich dich lieben,
lachend will ich erblinden,
[lachend laß uns verderben,]
lachend zugrunde gehn!
Fahr hin, Walhalls
leuchtende Welt!
Zerfall in Staub
deine stolze Burg!
Leb wohl, prangende
Götterpracht!
End in Wonne,
du ewig Geschlecht!
Zerreißt, ihr Nornen,
das Runenseil!
Götterdämm'rung,
dunkle herauf!
Nacht der Vernichtung,
neble herein!
Mir strahlt zur Stunde
Siegfrieds Stern;
er ist mir ewig,
ist mir immer,
Erb' und Eigen,
ein und all:
leuchtende Liebe,
lachender Tod!

S i e g f r i e d. Lachend erwachst
du Wonnige mir:
Brünnhilde lebt,
Brünnhilde lacht!
Heil dem Tage,
der uns umleuchtet!
Heil der Sonne,
die uns bescheint!
[Heil dem Licht,
das der Nacht enttaucht!]
Heil der Welt,
der Brünnhilde lebt!

Sie wacht, sie lebt,
sie lacht mir entgegen.
Prangend strahlt
mir Brünnhildes Stern!
Sie ist mir ewig,
ist mir immer,
Erb' und Eigen,
ein und all:
leuchtende Liebe,
lachender Tod!
(Brünnhilde stürzt sich in Siegfrieds Arme.)

Der Vorhang fällt.